O PODER DOS ANIVERSÁRIOS

A influência dos dias, estrelas & números em sua vida

AQUÁRIO

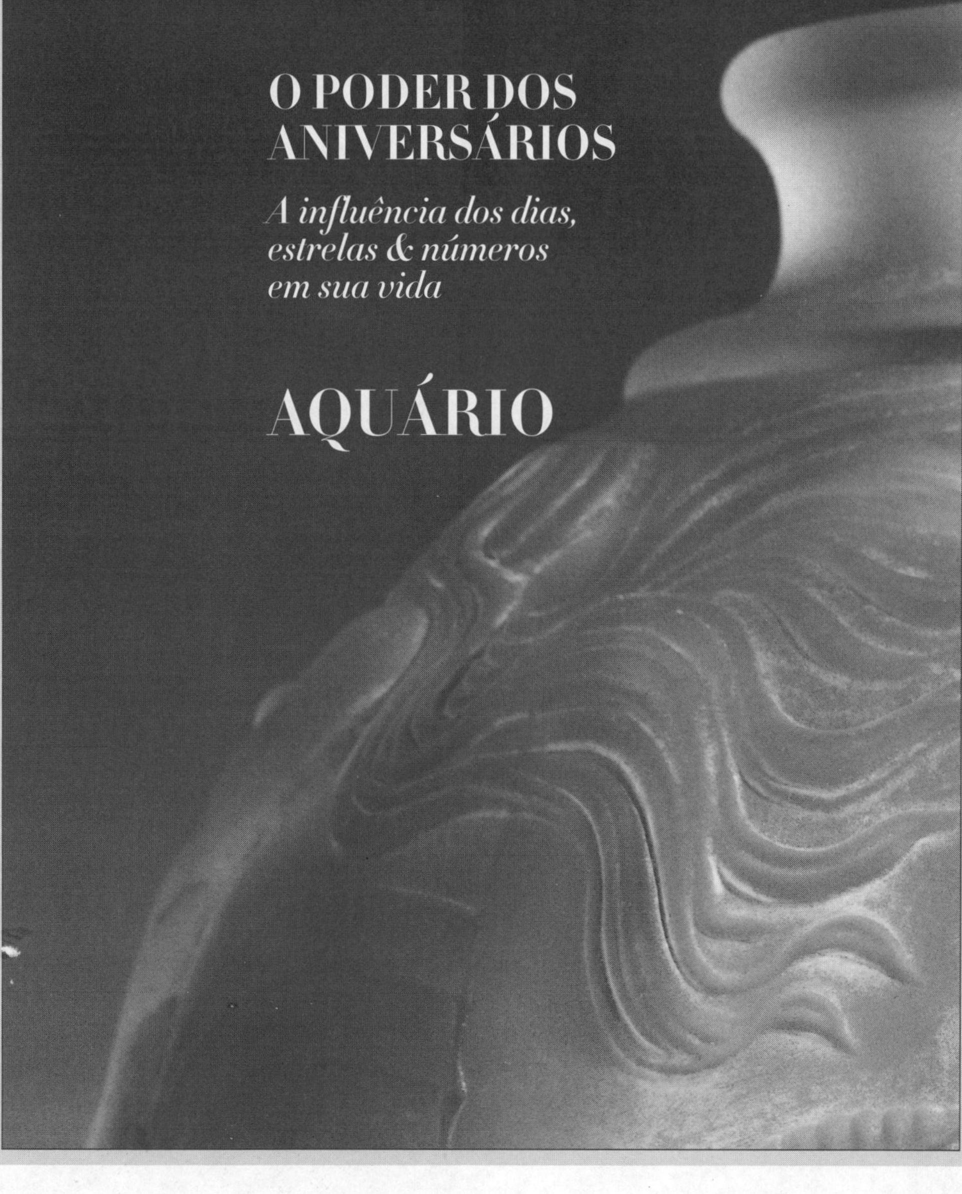

Grátis CD – Mapa Astral

O PODER DOS ANIVERSÁRIOS

A influência dos dias, estrelas & números em sua vida

Saffi Crawford e
Geraldine Sullivan

AQUÁRIO

Prestígio editorial

Do original
The power of Birthdays's stars & numbers

ISBN original 0-345-41819-0

Direção Editorial Pedro Almeida
Tradução Walter Agostinho
Preparação de Originais Marcos Marcionilo
Capa W/Brasil / Alexandre Suannes
Imagem da Capa Marcel Valvassori
Projeto Gráfico e Diagramação Osmane Garcia Filho
Revisão Marcia Alves Batista e Elaine Silveira

Dados Internacionais de Catalogação na Publicação (CIP)
(Câmara Brasileira do Livro, SP, Brasil)

Crawford, Saffi
O poder dos aniversários : a influência dos dias, estrelas e números em sua vida / Saffi Crawford e Geraldine Sullivan ; [tradução Walter Agostinho]. — 2. ed. — São Paulo : Ediouro, 2005.

Título original: *The power of birthdays, stars & numbers*
Obra em 12 v. - Conteúdo desta edição: Aquário

ISBN: 85-99170-16-6

1. Aniversários 2. Astrologia e Psicologia 3. Numerologia 4. Ocultismo 5. Personalidade 6. Zodíaco I. Sullivan, Geraldine. II. Título.

05-0387 CDD-133.52

Índice para catálogo sistemático:
1. Signos do zodíaco e personalidade : Astrologia : Ocultismo 133.52

Prestígio Editorial
Rua Nova Jerusalém, 345 – CEP 21042-230
Rio de Janeiro — RJ
Tel.: (21) 3882-8200 – Fax: (21) 2260-6522
e-mail: relume@relumedumara.com.br
vendas@ediouro.com.br
internet: www.ediouro.com.br

Para nossas famílias,
que tiveram paciência conosco enquanto concluíamos este livro e por todo o seu apoio: nossos pais, Margaret e Michael Sullivan, Leon e Kristina Grushko, Melissa Crawford, Ricky Foulcer e Cleo Foulcer.

Agradecimentos

Um agradecimento especial a nosso editor, Ginny Faber; a nossa agente, Julie Castiglia, e a Chuck Wein, pelo apoio que deram a nosso projeto desde o início.
Também queremos agradecer em particular a Jason Zuzga, Huw Davies e Jane Laing, pelo encorajamento e assistência na edição, e a Mark Reiner, pelas contribuições no projeto de arte.
Queremos mencionar outros que possibilitaram este projeto: Pat Foster, Josephine Shannon, Tom Sullivan, Deirdre Edwards, Julianna Doyle, Alexia Beck, Tasha Griffiths e Anne Leman.

Sumário

Introdução

Nas páginas deste livro, você encontrará um perfil completo da personalidade das pessoas nascidas sob o signo de Aquário. Este livro vai muito além da astrologia do signo solar, oferecendo uma compreensão profunda das características exclusivas de cada dia. Utilizamos nossos conhecimentos de Astrologia, de Psicologia, de Numerologia e de Estrelas Fixas. Só depois de sintetizar todas essas disciplinas é que criamos os perfis diários abrangentes.

Não há forças cósmicas idênticas para dois dias diferentes — cada dia é singularmente especial. Cada perfil diário fornece informações fascinantes a respeito de você e acerca de seu futuro. Além disso, você também irá adquirir um conhecimento mais profundo das suas próprias habilidades e potenciais, além da compreensão do caráter e da motivação das pessoas à sua volta. A Astrologia e a Numerologia são linguagens de símbolos que exploram a relação entre a humanidade e o Universo. Elas nos dão indicação de nosso lugar no plano maior do Cosmos.

Desde os primórdios da sua história, a humanidade tem consciência das forças e ciclos da natureza. Esses ciclos naturais e ritmos cósmicos exercem influência em todos os organismos vivos. Embora estejam situadas fora do nosso sistema solar, as Estrelas Fixas também exercem influência sobre nós. Elas foram incorporadas pela Astrologia desde a antigüidade. Neste livro, apresentamos interpretações modernas da influência das Estrelas Fixas para cada dia do ciclo solar anual.

A Astrologia e a Numerologia são maneiras de interpretar essas influências, de mostrar como esses ciclos afetam a nossa vida. As diversas facetas do estudo astrológico incluem a Astronomia, o Simbolismo, a Psicologia, a Física e a Geometria, ao passo que a Numerologia sustenta a tese de que os números possuem uma dualidade de qualidade e quantidade. Todos os poderosos métodos interpretativos foram reunidos neste livro para traçar um perfil diário profundo e exclusivo.

O Poder dos Aniversários une duas diferentes maneiras de calcular o ciclo solar anual. O ano astrológico começa no dia 21 de março, a 0 grau de Áries, enquanto o ano numerológico, que se baseia no calendário ocidental, tem início a cada dia 1º de janeiro. Esses dois sistemas solares anuais, quando combinados, revelam a visão holística da Astronumerologia, que pode fornecer uma profunda compreensão psicológica de cada dia de aniversário.

As práticas convincentes de astrologia tomam por base um único momento no tempo e no espaço, fazendo com que cada mapa astrológico seja simbolicamente exclusivo. Embora os astrólogos exijam ano, data, hora e local de nascimento exatos para poder calcular um mapa astrológico pessoal, a Astrologia popular usa apenas os doze signos zodiacais. Essa divisão do ano em doze categorias mensais, juntamente com os planetas, pode ser vista como uma introdução ao estudo astrológico. Neste livro, vamos oferecer todos os recursos. Você poderá consultar seu dia natal, realizar os cálculos de numerologia e progressões e, com o cd, calcular o ascendente de qualquer pessoa e ter um breve relato de cada signo.

O Sol é o centro do nosso sistema solar. Os planetas, incluindo a Terra, orbitam em torno dele. A Terra efetua dois ciclos importantes: gira em torno do seu eixo e em torno do Sol em movimento anti-horário. É a rotação da Terra sobre o próprio eixo que produz o ciclo do dia e da noite. Do ponto de vista geocêntrico (da Terra), o Sol aparece para cruzar o céu do horizonte oriental para o horizonte ocidental. A trajetória aparente do Sol, tendo como pano de fundo as estrelas fixas nas doze constelações, descreve um caminho elíptico em torno da Terra. O eixo da Terra não apenas gira, mas é também inclinado, com o Pólo Norte voltado para o Sol e distante do mesmo em diferentes épocas do ano, o que faz com que haja quatro variações climáticas, as chamadas quatro estações. Esses pontos são comumente denominados equinócios da primavera e do outono e solstícios do verão e do inverno. Na Astrologia, essas quatro divisões do ano são chamadas de quatro pontos cardeais da roda zodiacal de 360 graus.

O ano astrológico tem início na primavera[1] a 0 grau de Áries; o solstício de verão é marcado a 0 grau de Câncer; o outono, a 0 grau de Libra; e o solstício de inverno, a 0 grau de Capricórnio. Como a roda zodiacal é dividida em doze arcos iguais de 30 graus cada, os quatro signos cardeais da roda zodiacal são seguidos dos quatro signos fixos: Touro, Leão, Escorpião e Aquário. Os quatro signos mutáveis, Gêmeos,Virgem, Sagitário e Peixes, completam os doze signos da roda zodiacal.

O zodíaco é dividido em doze signos diferentes. Mas, na prática avançada de Astrologia, esses signos têm outras divisões, associadas a outras forças. Os doze signos são divididos em três partes, chamadas de decanatos. Cada decanato cobre 10 graus do círculo do zodíaco, e os três decanatos de cada signo atuam como uma subinfluência e um complemento das qualidades do próprio signo. Cada decanato é associado a um signo e a um planeta adicionais. Neste livro, você encontrará não apenas o signo sob o qual você nasceu, mas também o seu decanato.

Como o Sol retorna aproximadamente ao mesmo grau a cada ano, os astrólogos se referem à data de nascimento de uma pessoa como o retorno solar. Ao dividir cada um dos doze signos zodiacais em trinta graus individuais, incluindo a Numerologia e as Estrelas Fixas, *O Poder dos Aniversários* cria um elo entre os doze signos zodiacais e a abrangente arte da Astrologia.

Também foi providenciada uma seção especial, que permite ao leitor investigar mais profundamente a própria personalidade e o próprio futuro por meio da Numerologia. Isso inclui o cálculo do número holístico e predições baseadas em números pessoais anuais.

Os perfis dos dias de aniversário

Cada perfil do dia de aniversário contém um discernimento específico das características de cada dia. O perfil fornece um conhecimento geral das configurações planetárias e numerológicas, juntamente com o signo do Sol, grau e decanato, que individualizam ainda mais o signo do Sol, pois adicionam subinfluências de outro signo ou planeta.

Também incluímos a técnica astrológica de predição conhecida como progressão. Os astrólogos usam regularmente as progressões do Sol para indicar importantes anos da vida de uma pessoa. Esses períodos de mudanças no desenvolvimento pessoal ocorrem aproximadamente três vezes na vida de uma pessoa, quando o Sol progredido muda de signo.

Os recursos e fraquezas ocultos em cada pessoa são revelados em "O seu secreto", além das opções profissionais adequadas, juntamente com uma lista de personalidades famosas nascidas naquele dia. Cada perfil vem acompanhado de uma detalhada explicação da numerologia correspondente a cada dia de aniversário. Cada dia descreve as qualidades dos números, e estes números são descritos mediante as qualidades da numerologia do mês. Embora todo dia e mês

1. N.T.: As autoras se referem ao Hemisfério Norte.

tenham um papel significativo na compreensão da personalidade, eles são secundários em relação ao número holístico pessoal, que influencia toda a vida e todos os aspectos da personalidade. Por isso, para entender a sua personalidade, você precisa ler não apenas a Numerologia do dia e mês do seu aniversário, mas o seu número holístico, descrito na introdução deste livro.

Se quiser conhecer a influência numerológica de cada ano sobre sua vida, você pode calcular o seu número anual pessoal, também fornecido na seção introdutória.

Cada dia de aniversário inclui a seção "Amor e Relacionamentos", que contém as datas e tipos de pessoas com as quais o leitor provavelmente terá ligações cármicas, relacionamentos amorosos, amizades, além dos parceiros ideais. Apesar de termos incluído diversas datas adequadas, essas listas não são conclusivas; assim, você pode ter relacionamentos importantes com pessoas que não estão listadas neste livro.

Cada perfil do dia de aniversário fornece ainda informações relacionadas à especial e poderosa influência das estrelas fixas espalhadas ao longo do caminho do ciclo solar anual sobre cada dia de aniversário. Diversas estrelas podem afetar o seu dia de aniversário, ou pode ser que não haja estrelas brilhantes ou próximas o suficiente ao local do Sol no céu galáctico daquele dia para exercer alguma influência relacionada ao Sol. Estão listadas todas as estrelas que têm influência relacionada ao Sol para cada dia de aniversário. E você também encontrará a influência da sua estrela primária.

No final do livro, há um apêndice de todas as estrelas fixas importantes relacionadas com o seu signo, para que você possa consultar as influências de todas as estrelas da sua lista. Esperamos que todos vocês aprendam mais e investiguem mais profundamente a rica complexidade das Estrelas Fixas.

As explicações especiais a respeito das características de cada dia são também descritas por meio das qualidades do número correspondente a cada dia. Eles são complementados pelas interpretações do número do mês.

Reunimos em um volume os assuntos nos quais nos especializamos, para que você disponha da referência mais abrangente disponível no campo da Personologia. Sintetizamos muitos anos de pesquisa, experiência em mapas astrais complexos e milhares de estudos de casos em perfis personológicos que lhe proporcionarão uma compreensão mais profunda da personalidade, capacidade e potencial de cada pessoa.Vamos agora conhecer todos os dias do seu signo. Cada um deles se inicia como cada pessoa — exclusivo e cheio de promessas.

Introdução à Astrologia

Desde os primórdios da nossa civilização, observamos os céus para obter uma maior compreensão do relacionamento entre a humanidade e o Universo. Para os primeiros seres humanos, a impermanência da existência na Terra provocava uma sensação de incerteza. Contudo, a recorrência dos fenômenos celestes, como o nascer e o pôr-do-sol em contraste, trazia tranqüilidade. Nossos ancestrais percebiam esse contraste como uma distinção fundamental entre os domínios celestial e terrestre. A Astrologia, portanto, é um estudo da interação significativa entre as estrelas, os ciclos planetários e os acontecimentos na Terra.

Como uma das poucas filosofias remanescentes que mantêm uma perspectiva holística, a Astrologia nos ensina que tudo está interconectado. Nada se mantém como uma lei por si só. Tudo é parte de um relacionamento constantemente mutável e dinâmico com os ciclos do Cosmos. E não estamos fora desse sistema vivo. Nós o afetamos e somos profundamente afetados por ele. Todas as pessoas são parte de um relacionamento mutante e dinâmico com as outras pessoas. O Universo é um jogo complexo de ciclos e forças, pois as polaridades opostas colocam umas às outras em ação, sendo elas mesmas parte de sistemas maiores. Os astrólogos reconhecem esse jogo e tentam compreendê-lo por intermédio do simbolismo.

Nenhuma pessoa está sozinha, já que todas as pessoas são parte de relacionamentos mutáveis e dinâmicos com as outras pessoas, e cada uma está envolvida em relacionamentos mutáveis e dinâmicos com os ciclos do Cosmos. Tudo o que é orgânico pulsa e se distingue pela sua periodicidade. Essa existência cíclica, rítmica, é captada pela hipótese astrológica. A Astrologia abrange a complexidade, a simultaneidade da subjetividade e da objetividade. Objetivamente, a Astrologia mede o tempo pelos ciclos dos planetas, dando uma perspectiva única do sentido da duração. Subjetivamente, a Astrologia opera por meio de um simbolismo profundo, e o seu conhecimento se dá por intermédio do estudo do contexto.

A Astrologia sustenta que o curso da natureza é um círculo ou uma mandala. Nos 360 graus do círculo, experimentamos cada momento, individual e coletivamente. Cada grau é um fragmento separado do círculo, mas o círculo só existe a partir de cada grau. A mandala é um símbolo de toda a criação, uma forma auto-suficiente e perfeita, sem começo nem fim. O círculo representa tanto o Universo como todos os indivíduos humanos, além do universo interior. Todas as atividades da vida estão relacionadas a esse círculo. Sua estrutura também contém os ciclos do tempo.

Ao explorar a Astrologia, podem-se revelar as conexões entre os universos externo e interno e se obter uma maior consciência psicológica e espiritual. As duas maiores luzes da Astrologia são o Sol e a Lua, que correspondem ao ciclo do dia e da noite. No que se refere a esse ritmo, os calendários solar e lunar foram estabelecidos pelas primeiras culturas e interpretados como horas, dias, meses e anos. Em termos psicológicos, a união simbólica do Sol com a Lua é percebida como o "casamento místico", representando a união dos opostos dentro do indivíduo. Segundo a Filosofia oriental, essa união é caracterizada pelo *yin/yang*, ou pelos princípios masculino e feminino.

Um horóscopo pessoal é um "mapa" que mostra a posição precisa dos planetas do nosso sistema solar em relação à Terra, no momento do nascimento do indivíduo. No seu formato básico, o mapa natal consiste em dez planetas e doze signos zodiacais.

Os doze papéis astrológicos do sol

O amor, o ódio, o nascimento, a morte, a infância, a paternidade e a velhice são temas universalmente conhecidos por toda a humanidade. O espectro completo das experiências humanas é simbolizado pela roda Astrológica, à medida que o Sol faz a sua jornada simbólica pelos doze signos zodiacais. Segundo a Astrologia, todos nascemos para nos juntar ao grande ciclo da existência e para assumir um papel dentro do drama divino. Nas palavras de Shakespeare: "O mundo todo é um palco e todos os homens e mulheres são apenas atores".

Na visão do todo, tudo está em relação com tudo o mais, tudo está interconectado. Da mesma forma, na Astrologia, todos os doze signos estão incorporados às psiques dos indivíduos e da humanidade. Embora uma pessoa nasça em um signo em particular, para se integrar ao todo, ela precisa se conectar aos outros onze signos. Na nossa vida diária, experimentamos todas as facetas dos doze signos, mas o nosso signo do Sol pode ser interpretado como o maior papel que temos de aprender a desempenhar. Em termos psicológicos, Carl-Gustav Jung interpretou os papéis universais como arquétipos.

As pessoas normalmente pensam que estão representando os próprios papéis, mas, por meio da auto-realização, elas são levadas a reconhecer que os indivíduos são apenas condutores ou canais do divino e que por meio delas o Universo é visto de acordo com o tempo e espaço dos seus desempenhos. O astrólogo Dane Rudhyar disse em seu livro *Uma mandala astrológica:* "O ego em [um indivíduo] se torna uma lente cristalina por meio da qual a vontade de Deus se concentra no ato individualizado. Ele nada faz, mas A Mente Única o pensa. Sua vida se tornou sagrada porque não é mais a sua vida, mas todo o seu desempenho com e por intermédio do espaço do seu organismo total".

Os arquétipos e os papéis dos doze signos zodiacais

Cada signo zodiacal assume e desempenha os papéis de determinado arquétipo para manifestar o próprio poder de criação.Na lista a seguir, alguns dos maiores arquétipos e papéis estão associados a cada signo:

♈ ÁRIES: o líder, o entusiasta, o pioneiro, o guerreiro, o destemido, o competidor

♉ TOURO: o pragmático, o sensual, o amante da natureza, o cantor, o avaliador

♊ GÊMEOS: o comunicador, o intérprete, o escritor, o orador, o contador de histórias, o educador

♋ CÂNCER: a mãe, o provedor, o psíquico, o conselheiro, o protetor

♌ LEÃO: o performático, o rei ou rainha, a criança, o artista criador, o amante, o ator

♍ VIRGEM: o analista, o perfeccionista, o pesquisador, o servo, o purificador, o crítico

♎ LIBRA: o amante, o diplomata, o parceiro, o socializador, o anfitrião, o equilibrador, o negociador

♏ ESCORPIÃO: o controlador, o hipnotizador, o mágico, o detetive, o transformador

♐ SAGITÁRIO: o viajante, o filósofo, o otimista, o explorador, o estrangeiro

♑ CAPRICÓRNIO: o pai, a figura de autoridade, o trabalhador, o disciplinador, o tradicionalista

♒ AQUÁRIO: o humanista, o observador imparcial, o inventor, o cientista, o amigo, o excêntrico, o revolucionário, o anarquista

♓ PEIXES: o visionário, o romântico, o salvador, o místico, o curador, o sonhador, o poeta

Os doze signos zodiacais

♈ Áries

Cheios de energia e de idéias criativas, os arianos pertencem ao primeiro signo do zodíaco. Áries é um signo de fogo, e o nativo de Áries é altamente vigoroso e entusiasta; ele acredita genuinamente que o mundo está aí para que ele o explore e conquiste. Ardente e assertivo por natureza, o nativo de Áries avança rapidamente com projetos e atividades intermináveis, que gosta de iniciar. Os arianos são pioneiros e líderes do zodíaco. Mesmo os mais calmos desejam secretamente ser o número 1 ou o primeiro em alguma coisa. Regidos pelo planeta Marte, os arianos são agentes ativos e muito raramente ficam inativos. Combinando um corpo ativo com um espírito ousado e empreendedor, os arianos procuram avidamente estar à frente de qualquer atividade. Freqüentemente ousados e apaixonados, eles podem ser altamente idealistas e muito leais às pessoas que amam. Os arianos gostam de conversar longamente com os seus parceiros a respeito dos seus projetos favoritos, mas também sabem apoiá-los.

♈

PRIMEIRO SIGNO
CARDEAL FOGO
PLANETA REGENTE: MARTE
PARTE DO CORPO: CABEÇA
PALAVRAS-CHAVE:
ENERGIA, ATIVIDADE, LIDERANÇA

♈

Como a paciência não é o seu ponto forte, podemos sempre reconhecer os arianos pela abordagem direta, pela ação decisiva e pela falta de sutileza e tato. Essa mesma impaciência pode também torná-los intolerantes, impulsivos e com muita tendência a agir sem prudência. Contudo, sabem reagir às crises e têm habilidade para responder aos desafios de frente e para enfrentar com coragem situações difíceis.

Apesar de se colocarem contra a opinião pública, os arianos, em geral, recusam-se a comprometer seus ideais, mesmo que isso os coloque em situação difícil. À medida que envelhecem, no entanto, a maior parte deles irá aprender a ser humilde, não sem antes passar por muitos confrontos. Os homens deste signo adoram fazer o papel de cavaleiro errante e as mulheres têm uma aparência enérgica e assertiva.

Freqüente e facilmente, os arianos se enraivecem e se mostram ávidos por expressar as próprias opiniões, mas são também muito rápidos em perdoar e esquecer. Estimulados pela adrenalina e sem paciência para detalhes, estão em geral com pressa e trabalham melhor quando são eles que iniciam os projetos. Não obstante, as personalidades de Áries precisam evitar a ingenuidade e o autocentramento ou a tendência a implicar com as outras pessoas.

De modo geral, os arianos são cheios de energia criativa e inspiração e têm muita fé em si mesmos. Isso normalmente se manifesta na sua habilidade de liderança natural. Por isso, não é de surpreender que façam com que os outros os sigam.

Sem nunca se deixar levar pelo desânimo, sempre dinâmico e generoso, o espírito ariano vive para mais um dia de luta.

♉ Touro

Os cordatos taurinos são indivíduos serenamente determinados e muito sensíveis, que nunca desistem. Pacientes e persistentes, eles prosseguem, deixando os outros pelo caminho. Sua maneira calorosa, aparentemente calma e fácil reflete alegria pela simplicidade da vida.

> ♉
>
> SEGUNDO SIGNO
> FIXO TERRA
> PLANETA REGENTE: VÊNUS
> PARTES DO CORPO:
> GARGANTA E PESCOÇO
> PALAVRAS-CHAVE:
> RESISTÊNCIA, PERSISTÊNCIA
> E SENSUALIDADE
>
> ♉

Os taurinos não gostam de se apressar — tomam decisões cuidadosa e deliberadamente, colocando em primeiro plano a segurança e as questões de ordem financeira. Por terem Vênus como planeta regente, os taurinos são muitas vezes magnéticos, sensuais e muito atraentes ao sexo oposto. A influência de Vênus também confere amor à beleza, interesse pelas artes e refinamento.

Touro é um prático signo da Terra, e por isso os confortos básicos da vida, como comida e moradia, são muito importantes para os taurinos. Freqüentemente, eles se tornam especialistas em culinária, conhecedores de vinhos e gostam muito de diversão. Os taurinos são também os banqueiros simbólicos do zodíaco — a maioria deles costuma anotar cuidadosamente todas as transações financeiras. Quando chamados de materialistas, os taurinos respondem que são apenas sensatos e que sabem o valor do dinheiro. Eles podem se tornar especialistas na avaliação de tudo: de questões financeiras a si mesmos.

Taurinos costumam ser generosos com as pessoas que amam, mas devem evitar ser muito possessivos. Amigos leais e devotados, freqüentemente sofrem em silêncio para manter a paz, mas tornam-se obstinados e teimosos se forem muito pressionados. As personalidades taurinas precisam sentir que estão com os pés no chão e que têm estabilidade. Por isso preferem manter as coisas do jeito em que estão. Em períodos de mudanças e de instabilidade, podem ter dificuldade para se adaptar a novas situações. Felizmente, sempre podem encontrar conforto no amor que têm pela arte, na criatividade, nas alegrias da natureza ou na música.

Em geral, os taurinos têm uma voz atraente e calma e são, muitas vezes, bons cantores. Contudo, se estão estressados, podem ter problemas na garganta, embora tendam a ser fortes e saudáveis. Personalidades taurinas amam o prazer e o conforto, mas precisam se resguardar da tendência ao excesso de auto-indulgência para com as coisas boas da vida.

Muitas vezes, esses indivíduos são pragmáticos e perseverantes e se esforçam diligentemente por conquistar os seus objetivos. Firmes em suas decisões para construir uma fundação sólida, os taurinos podem atrair e alcançar o sucesso.

♊ Gêmeos

Comunicadores naturais com uma interminável sede de conhecimento, os geminianos são eternos estudantes. Como pertencem a um signo de ar e são muito inteligentes, os nativos de Gêmeos estão sempre em movimento, sempre tentando satisfazer a própria curiosidade mental. Extremamente rápidos para apreender os pontos importantes de qualquer assunto, eles adquirem um conhecimento geral amplo, que adoram dividir com os outros. Os geminianos podem ser inteligentes, multitalentosos e entusiásticos, mas devem se prevenir contra a tendência a desperdiçar energia. Por meio da disciplina e da educação mental, os geminianos podem aprender a desenvolver um pensamento mais profundo.

♊

TERCEIRO SIGNO
MUTÁVEL AR
PLANETA REGENTE: MERCÚRIO
PARTES DO CORPO: PULMÕES, BRAÇOS, MÃOS
PALAVRAS-CHAVE: VERSATILIDADE, LOQUACIDADE, INGENUIDADE

♊

Associados a Mercúrio, os nativos deste signo muitas vezes possuem uma qualidade andrógina e têm um corpo elegante e jovem. Os geminianos costumam ter um rosto brilhante e expressivo e gostam de usar as mãos quando expressam as suas idéias. Como gostam de falar, podem conversar durante horas, o que em geral resulta em contas telefônicas altíssimas. Com uma aparência jovem, os geminianos são muitas vezes comparados à criança eterna — sempre maravilhados.

Uma vez que seu sistema nervoso é sensível, os geminianos acham difícil concentrar toda a sua atenção em uma coisa ou pessoa. Como o seu símbolo, os gêmeos, eles são conhecidos por serem capazes de fazer pelo menos duas coisas ao mesmo tempo, e também por serem flexíveis, versáteis e adaptáveis. Aéreos e sofisticados, os geminianos não gostam de assumir compromissos e não gostam de se chatear ou de chatear os outros. Conhecidos por não serem consistentes, os geminianos parecem ter muitas personalidades e mudanças de humor. Os nativos de Gêmeos são, em geral, intelectuais e normalmente interessam-se mais por desafios mentais do que por paixões terrenas.

Leves e amigáveis, os geminianos têm uma relação fácil com os outros e estão sempre dispostos a compartilhar a verdadeira mina de informações que têm nas mãos. Com o seu charme jovial e espirituosidade natural, ninguém se surpreende ao saber que eles são os mais encantadores amigos e companheiros. Divertidos e cheios de idéias, os nativos de gêmeos são altamente expressivos quando liberam o seu espírito mercurial.

♋ Câncer

Os emotivos e sensíveis cancerianos são regidos pelos sentimentos. Como seu planeta regente, a Lua, eles passam por todo o espectro de emoções ligadas às mudanças da maré. Os nativos de Câncer têm o poder do mais profundo oceano e a vulnerabilidade de um caranguejo solitário em uma praia deserta. Como o caranguejo, eles têm uma concha protetora de timidez ou reserva para ocultar sua grande sensibilidade e cautela. Quando se retiram para recuperar as forças, não se deve jamais interpretar isso como fraqueza.

Solidários e gentis, os cancerianos têm uma grande necessidade de acalentar. Por isso, muitas vezes, assumem o papel de pai ou terapeuta. Podem ter uma inclinação extremamente protetora e defendem os que amam. De tudo! Não é de surpreender que a casa e a família tenham um papel importante na sua necessidade de segurança. Em geral caseiros, os nativos de Câncer são muitas vezes *gourmets* e podem até ficar inseguros se não tiverem a geladeira cheia.

♋

QUARTO SIGNO
CARDEAL ÁGUA
PLANETA REGENTE: LUA
PARTES DO CORPO: SEIOS E ESTÔMAGO
PALAVRAS-CHAVE: SENSIBILIDADE, SOLIDARIEDADE, AFEIÇÃO

♋

Apesar da constante variação de humor, essas personalidades são naturalmente afáveis e podem até precisar evitar sufocar os outros com o seu amor e devoção protetores. Câncer é um signo da água, e os cancerianos são muitas vezes tímidos e sentimentais, com tendência a se prender ao passado e a se tornarem ávidos colecionadores. Os objetos da sua coleção podem incluir desde móveis de família até antigüidades e memórias contidas em fotografias e cartas. Os cancerianos podem também ter tendência a se prender ao dinheiro, que costumam guardar em cadernetas de poupança para períodos difíceis.

Os nativos de câncer muitas vezes possuem uma personalidade complexa. Por um lado, parecem ser uma fortaleza, mas por outro parecem ter a vulnerabilidade de uma criança. Eles são mestres na arte da resistência passiva.

Com a Lua colorindo as suas respostas, os cancerianos são naturalmente intuitivos ou mediúnicos e podem ser facilmente feridos. A sua poderosa imaginação e compreensão sensível podem encontrar uma via de expressão por meio do mundo da criação e da arte. E, acima de tudo, quando confiam suficientemente em alguém para mostrar seus sentimentos, podem ser fortes, leais e protetores.

♌ Leão

Calorosos, amorosos e generosos, os leoninos possuem um grande coração. Seus gestos amáveis e magnânimos vêm do amor que têm ao senso dramático, pois gostam de se exibir e se sentem as pessoas mais felizes do mundo quando conseguem uma platéia que os aprecie. Felizmente, para compensar sua tendência a ser o centro das atenções, os leoninos também são atenciosos com os outros. Eles podem aprovar generosamente os projetos alheios e cumulá-los de elogios.

♌

QUINTO SIGNO
FIXO FOGO
PLANETA REGENTE: SOL
PARTE DO CORPO: CORAÇÃO
PALAVRAS-CHAVE: VITALIDADE, CONFIANÇA, AUTO-EXPRESSÃO

♌

Regidos pelo Sol, os leoninos possuem uma jovialidade divertida e uma grande necessidade de se expressar. Como vêem a si próprios nos papéis principais, e não em papéis coadjuvantes, os nativos de Leão muitas vezes têm problemas com a vaidade e o orgulho. Para eles, é difícil admitir que estão errados e a bajulação os deixa vulneráveis à manipulação. Contudo, os leoninos compensam facilmente as próprias falhas com sua personalidade ensolarada, senso de divertimento e generosidade. Essas pessoas amigáveis e gregárias são as parceiras ideais para eventos sociais, festas, idas ao teatro e longos feriados.

O desejo de brilhar, combinado com o seu ar régio e imponente, leva-o a posições de autoridade, nas quais podem exibir suas formidáveis habilidades de liderança. Os leoninos assumem naturalmente o comando. Como às vezes fazem isso sem que lhes seja pedido, podem ser acusados de muito mandões. Contudo, geralmente trabalham duro para cumprir as responsabilidades e são excelentes gerentes e líderes. Os leoninos que não preencherem seu potencial natural podem ficar preguiçosos e desanimados.

Os nativos deste signo são conhecidos pela coragem e preferem desempenhar um papel forte e protetor em relação aos outros, em vez de se comportarem como fracos e indefesos. Mesmo quando os leoninos mais calmos ocultam o orgulho e a grandeza atrás de uma fachada modesta, deixam entrever a sua dignidade régia. Os leoninos pressupõem que as outras pessoas possuem um senso de integridade similar ao seu e por isso tomam cuidado, no caso de uma desavença, em respeitá-las. Eles gostam de causar uma boa impressão nas pessoas e têm consciência do impacto que causam sobre os outros.

Como são de um signo fixo de fogo, os leoninos podem ser animados e entusiásticos, embora um tanto teimosos. Sua criatividade e teatralidade combinadas os tornam grandes românticos. Os leoninos amam o amor, amam ser amados. Independentemente de onde alguém os conheça, sua personalidade ensolarada causa uma impressão duradoura.

♍ Virgem

Analíticos e eficientes, os virginianos têm um forte senso de ética. Eles precisam de ordem em suas vidas e desejam que as coisas sejam feitas de forma metódica. Os virginianos estão sempre examinando e aperfeiçoando os sistemas existentes, para melhorá-los. Infelizmente, esse perfeccionismo pode se estender às críticas às pessoas ao redor, fazendo com que elas resistam às suas mensagens. Por outro lado, os nativos deste signo não gostam quando você aponta os seus defeitos, pois já têm bastante consciência deles e são os mais ferrenhos críticos de si mesmos. Essa habilidade para avaliar as próprias falhas pode fazer com que os virginianos sejam modestos e moderados. Muitas vezes, eles sempre medem o próprio valor pelo metro da ajuda aos outros.

♍

SEXTO SIGNO
MUTÁVEL TERRA
PLANETA REGENTE: MERCÚRIO
PARTE DO CORPO: INTESTINO
PALAVRAS-CHAVE: DISCERNIMENTO, EFICIÊNCIA, SERVIÇO

♍

Regidos por Mercúrio, os virginianos são inteligentes, articulados e com capacidade de discernimento, e, devido ao elemento Terra, podem ser pessoas práticas, organizadoras capazes, que trabalham duro e prestam atenção aos detalhes. Econômicos e prudentes com o dinheiro, os virginianos às vezes são pães-duros, mas podem ser mais do que generosos com o tempo e o dinheiro quando alguém precisa de ajuda. Contudo, eles esperam que as pessoas a quem ajudam se esforcem para ajudar a si mesmas. Os virginianos, de maneira geral, não gostam de estupidez ou vulgaridade e têm mentes lógicas que instintivamente buscam a ordem no meio da confusão. Eles usualmente analisam os mínimos detalhes, mas devem evitar a tendência a avaliar repetidas vezes as mesmas questões, sob risco de deixar de ver a situação como um todo.

Com padrões extremamente altos, os nativos de Virgem podem ser altamente discriminadores e cansativos em certas áreas. Eles muitas vezes se interessam por limpeza e alimentação, acreditam na importância dos exercícios e de um estilo de vida saudável. Apesar disso, podem, às vezes, sofrer de tensão mental, com risco de se tornarem superansiosos e neuróticos. Isso freqüentemente é decorrência da pressão do trabalho: devido ao forte senso de obrigação e dever, os virginianos muitas vezes assumem mais do que podem fazer. Geralmente funcionários maravilhosos, os virginianos não gostam de desordem e são defensores da meticulosidade e da eficiência.

Confiáveis e sinceros, com uma maneira metódica de encarar a vida, os virginianos serão sempre os pilares do apoio prático e sensato. Na verdade, eles sempre oferecem ajuda antes de serem requisitados.

♎ Libra

Os nativos de Libra são os diplomatas do zodíaco. Para evitar a desarmonia, usam o charme, dão o sorriso mais encantador do mundo e fazem o possível para manter a paz. Afetuosos, graciosos e refinados, os librianos têm necessidade de ser populares. Como pertencem a um signo de ar, eles possuem leveza, são amigáveis, inteligentes e sociáveis.

Regidos por Vênus e com uma consciência aguçada dos relacionamentos, os librianos são sempre capazes de ver as coisas do ponto de vista do outro. Esse princípio de equilíbrio muitas vezes faz com que precisem de um parceiro que aja como espelho para que possam se entender melhor. Especialistas quando se trata de justiça e de imparcialidade, os librianos pesam tudo cuidadosamente antes de tomar uma decisão. Discutem os prós e os contras de qualquer situação ou problema com uma lógica e discernimento impressionantes. Essa habilidade garante a sua excelência na arte de ceder e negociar. Infelizmente, isso pode causar indecisão e uma falta de habilidade para chegar a uma conclusão final.

SÉTIMO SIGNO
CARDEAL AR
PLANETA REGENTE: VÊNUS
PARTE DO CORPO: RINS
PALAVRAS-CHAVE: EQUILÍBRIO, DIPLOMACIA, RELACIONAMENTO

Equilíbrio é uma palavra-chave poderosa para os librianos. Embora desejem genuinamente a harmonia, eles estão sujeitos a períodos difíceis quando um dos pratos de suas balanças pesa muito para um dos lados. Contudo, à medida que desenvolvem a própria autoconsciência e ajustamento interno, eles se tornam mais confiáveis. Isso diminui a sua tendência a se tornar dependentes de outras pessoas. Os librianos precisam aprender a defender as suas crenças, mesmo que elas provoquem desavenças.

Regidos por Vênus, os nativos deste signo são sociáveis, elegantes e grandes amantes da beleza e do luxo. Em geral, têm uma casa atraente e têm alguma forma de expressão artística. Com um dom natural para apreciar as cores, precisam estar rodeados por ambientes de bom gosto e harmoniosos, senão podem se sentir infelizes. Esse amor pela beleza pode também ser percebido em sua aparência, pois inevitavelmente se esforçam para ficar atraentes.

Excelentes anfitriões, os librianos gostam de atividades amorosas que combinem sociabilidade e amor, como casamentos ou pequenas festas de amigos e familiares. Na verdade, eles são grandes românticos que gostam de ser presenteados com chocolates ou flores, pois isso preenche a sua necessidade de beleza e a sua fraqueza por qualquer coisa doce. Com um pouco de amor e afeição, você sempre pode conquistar o coração de um libriano.

♏ Escorpião

Os magnéticos escorpianos pertencem ao mais apaixonado signo do zodíaco. Qualquer coisa que façam, fazem-na poderosa e intensamente. Com os escorpianos, nada é pela metade: eles são criaturas de poder, vontade e de extremos.

♏

OITAVO SIGNO
FIXO ÁGUA
PLANETA REGENTE: PLUTÃO
PARTE DO CORPO: ÓRGÃOS SEXUAIS
PALAVRAS-CHAVE: REGENERAÇÃO, MISTÉRIO, PODER

♏

Como pertencem a um signo de água, os escorpianos preferem investigar a vida em um nível emocional mais profundo. A linguagem frívola de um diletante não é para eles; os escorpianos querem a história verdadeira e investigam a verdade. Eles são especialistas em receber sinais subliminares, como o seu planeta regente, Plutão, o senhor do submundo. Assim, os escorpianos percebem psiquicamente o que as outras pessoas inconscientemente sentem e o que dizem. Como um detetive ou psicólogo, eles perguntam tudo a seu respeito, mas raramente dizem coisas acerca de si mesmos. Esse sigilo é, usualmente, um manto de poder. Como têm sentimentos profundos, os nativos de Escorpião podem ser dolorosamente feridos e por isso preferem manter o controle.

Uma grande lição de vida para os escorpianos envolve a superação do desejo mediante o uso criativo da vontade. Como o seu signo está conectado às raízes do impulso sexual, os seus sentimentos são fortes e intensos, levando-os, algumas vezes, ao ciúme e à possessividade.

A morte simbólica ou a transformação é uma experiência poderosa pela qual os escorpianos não têm medo de passar. Há momentos em que eles desejam se afastar de tudo para avaliar os seus sentimentos intensos. Não conseguem ser falsos, mesmo que isso signifique uma perda total. Esse traço, naturalmente, dá-lhes uma enorme força, pois não têm medo de se desfazer e de renunciar. Depois que se decidem a fazer algo, sua força de vontade é enorme. Como são de um signo fixo, têm uma resistência extraordinária e mantêm a perseverança até o final.

Os escorpianos são em geral competitivos e não gostam de perder. Quando são derrotados, muitas vezes querem provar que estão certos ou se vingar, não importa quanto tempo tenham de esperar. Por outro lado, quando estão do lado de alguém, são apaixonadamente leais e amorosos, entregando-se totalmente, independentemente de esforço ou sacrifício.

Escorpião é um signo de regeneração. Os nativos deste signo têm potencial para uma tremenda força que emana da sua conexão com as forças criativas fundamentais da natureza. O símbolo mágico da fênix renascendo das cinzas representa a sua habilidade de renascer, para subir novamente das profundezas às alturas com uma nova compreensão e poder. Para os escorpianos é tudo ou nada; eles não querem viver em um nível superficial e precisam de desafios para trazer à tona o poder e sentirem-se vivos.

♐ Sagitário

Os sagitarianos são espíritos livres, com um estilo amigável e independente. Não gostam de ser amarrados e são idealistas incuráveis, sempre procurando expandir horizontes e melhorar a própria situação. Otimistas e despreocupados, eles têm amor à verdade, à honestidade e à justiça, o que faz com que tenham uma maneira muito filosófica de abordar a vida.

Indivíduos animados, os nativos deste signo pensam em larga escala e têm grande visão. Sua habilidade para perceber o "grande plano" significa que estão sempre trabalhando em algum projeto para o futuro. Adoram explorar e são viajantes inveterados, da mente e do mundo. Como dão muito valor ao conhecimento e à sabedoria, eles procuram inspiração para si mesmos e para os outros, desejando, genuinamente, animar as pessoas com suas palavras divertidas e inteligentes ou com um sorriso. Infelizmente, muitas vezes alcançam o efeito oposto, pois se esquecem de pensar antes de falar. Diretos e francos, os sagitarianos dizem qualquer coisa que vem à mente com uma honestidade e uma franqueza que espantam. Contudo, depois de dar um fora, os sagitarianos se desculpam animadamente, o que faz parte do seu charme, pois assim eles podem, genuinamente, garantir que não tinham intenção de ofender e acabam sempre sendo perdoados.

♐

NONO SIGNO
MUTÁVEL FOGO
PARTE DO CORPO: QUADRIS E COXAS
PALAVRAS-CHAVE: HONESTIDADE, EXPLORAÇÃO, IDEALISMO

♐

Por meio de sua constante necessidade de expansão, os sagitarianos freqüentemente se dedicam ao aprendizado mais elevado e gostam de explorar assuntos como filosofia, religião, viagens e direito. Alguns sagitarianos são mais esportivos do que intelectuais e se divertem com jogos. Geralmente afortunados, eles adoram correr riscos de uma forma ou de outra, e podem ser levados ao jogo ou à especulação.

O que quer que os sagitarianos façam, fazem-no com estilo. Diante de sua necessidade de desfrutar as coisas boas da vida, eles muitas vezes querem o melhor. Mas é importante que tomem cuidado para não levar o gosto por extravagâncias longe demais e se tornar ávidos ou auto-indulgentes. Para compensar, os sagitarianos são bem-humorados e sinceros. Adoram a liberdade de se movimentar e por isso preferem deixar todas as opções abertas.

Entusiásticos, calorosos e generosos, os nativos de Sagitário são como os arqueiros, que miram com suas flechas à distância. Eles sabem como se divertir e são ávidos por aventuras.

♑ Capricórnio

Por serem os mais realistas, os capricornianos sabem muito bem que nada se ganha sem trabalho árduo. Eles têm um forte senso de dever e esperam com paciência a realização das próprias ambições. Como a cabra, eles no final subirão ao topo da montanha, mesmo que isso demore a vida inteira.

Trabalhadores árduos, diligentes e determinados, os capricornianos precisam ter um propósito, pois sem objetivo preciso sentem-se perdidos. Eles desejam ordem e estrutura para se sentir completos e geralmente fazem listas de tarefas diárias. A segurança é importante para eles e, influenciados por seu planeta regente, Saturno, encaram a vida de forma cautelosa e conservadora. Nutrem um grande respeito pela autoridade e admiram a sabedoria da idade e a experiência. Isso se estende ao trabalho que fazem, pois os nativos de Capricórnio são muito conscienciosos. Contudo, podem também ser teimosos, frios e calculistas, usando sua dureza saturnina para alcançar metas egoístas, em vez de usá-la para se autodisciplinar, normalmente uma das suas maiores qualidades.

♑

DÉCIMO SIGNO
CARDINAL TERRA
PARTE DO CORPO: OSSOS
PALAVRAS-CHAVE: AMBIÇÃO, CONSCIÊNCIA, DILIGÊNCIA

♑

As características de economia, praticidade e parcimônia do elemento terra do capricorniano se misturam bem com o seu desejo de *status* e prestígio, permitindo que eles conquistem posições de poder sem desperdiçar esforços. Não são frívolos nem volúveis — assumem as responsabilidades seriamente e colocam a casa e a família no topo de suas prioridades. Infelizmente, os capricornianos podem também ser pessimistas, sentindo que nunca são bons o suficiente, e devem se proteger da depressão. Quando têm dúvidas quanto a si próprios e quanto às suas habilidades, eles podem desistir antes mesmo de tentar, mas quando têm a segurança proporcionada por uma sólida base, podem ser incansáveis no impulso para o sucesso. Mais do que qualquer outra coisa, os nativos deste signo precisam desenvolver uma perspectiva otimista e positiva.

Lembre-se de que sob o exterior ligeiramente tímido e reservado dos capricornianos, há um maravilhoso senso de humor e uma tenacidade que deriva da disciplina interior. Quando as pessoas precisam de ajuda, sabem que sempre podem contar com um capricorniano confiável e sólido.

♒ Aquário

Originais e anticonvencionais, os aquarianos são progressistas e independentes. O interesse dos aquarianos pela raça humana é como um exercício intelectual. Sempre agindo como observadores imparciais, eles são capazes de um ponto de vista impessoal e não emocional. Essa tendência significa que eles podem pensar em termos de consciência de grupo, percebendo que as pessoas são indivíduos separados que operam dentro de um todo maior. Essa consciência humanitária é uma forte característica dos aquarianos, que sempre trabalham por objetivos universais e filantrópicos e fazem campanhas por causas justas. A falta de separatismo faz dos aquarianos pessoas amigáveis e úteis, permitindo que falem a estranhos como se os conhecessem.

DÉCIMO-PRIMEIRO SIGNO
FIXO AR
PARTE DO CORPO: TORNOZELOS E PANTURRILHAS
PALAVRAS-CHAVE: DESAPEGO, HUMANITARISMO, INDEPENDÊNCIA

A inclinação à rebeldia dos nativos de Aquário se origina do seu planeta regente, Urano, que é conhecido pela habilidade de perceber tendências futuras, como também pela grande necessidade de liberdade. Aquarianos não gostam de receber ordens e gostam de pensar independentemente e de fazer as coisas do seu jeito único. A insistência em seguir um determinado caminho certamente faz com que eles muitas vezes sigam exatamente o caminho oposto. A combinação da grande necessidade de ser do contra com o seu signo fixo pode torná-los pessoas teimosas. Felizmente, eles sempre estão abertos a ouvir pontos de vista diferentes, contanto que sejam apresentados com objetividade. A perspectiva futurista dos aquarianos permite-lhes abraçar os avanços tecnológicos sem se sentir intimidados. Como Urano, os aquarianos têm uma qualidade excêntrica, que pode se manifestar na forma de uma intuição mental. Isso pode sempre produzir o "efeito eureca", quando subitamente descobrem que alguma coisa é verdadeira. Essa genialidade burlesca pode torná-los voláteis e imprevisíveis, mas também altamente inventivos.

Embora cada aquariano tenha uma aparência individual, todos sabem que são parte de um grupo unido que defendem os direitos humanos e as causas sociais. Mesmo que o resto do mundo não possa compreendê-los atualmente, os aquarianos serão compreendidos no futuro.

♓ Peixes

Os piscianos possuem uma natureza sentimental altamente desenvolvida. Os sensíveis piscianos constantemente recebem impressões do ambiente exterior, embora estejam sempre aguçadamente conscientes das próprias motivações interiores. Eles sempre se retiram para o mundo privado dos sonhos para desfrutar os devaneios da sua poderosa e extraordinária imaginação e, às vezes, para escapar da realidade mais dura da vida. O símbolo de Peixes é representado por dois peixes nadando em direções opostas, indicando uma personalidade dual de extremos. Às vezes, os nativos de Peixes podem se sentir cansados e letárgicos, ou apenas erráticos, e, em outros momentos, podem ser eficientes, precisos e extremamente trabalhadores.

♓

DÉCIMO-SEGUNDO SIGNO
MUTÁVEL ÁGUA
PARTE DO CORPO: PÉS
PALAVRAS-CHAVE: COMPAIXÃO, RECEPTIVIDADE, IMAGINAÇÃO

♓

Espiritualmente abertos a todas as emoções mais sutis, piscianos podem demonstrar generosidade e compaixão. Como nem sempre possuem fronteiras bem demarcadas, podem muitas vezes se dissolver nas necessidades de outras pessoas. Por isso, os piscianos precisam ser cuidadosos para não perder o próprio senso de autovalorização ou até mesmo para não se martirizar. Em geral, precisam ser sempre animados como forma de estimular sua confiança e, às vezes, podem ser bastante obstinados, não permitindo que ninguém os influencie. O signo menos egoísta do zodíaco, Peixes pode ser extremamente paciente, mas se for provocado pode se tornar surpreendentemente agressivo.

Sentimentais, amáveis e emotivos, os piscianos são muito receptivos ao meio ambiente ou aos sentimentos dos outros. Combinada com a sua impressionante imaginação, essa qualidade faz com que os piscianos sejam excelentes em qualquer tipo de cura, música, arte, teatro ou fotografia, e, em particular, em assuntos de natureza espiritual. Assim como os peixes que nadam em direções opostas, os piscianos também podem sofrer oscilações de humor. Às vezes, são extremamente otimistas e em outras ocasiões podem se tornar vagos ou sofrer de falta de impulso e desistir facilmente. Nesses momentos, eles devem se resguardar do escapismo ou do desânimo. É especialmente fácil para os piscianos idealistas projetarem as próprias expectativas elevadas e seus sonhos em outras pessoas e acabarem desiludidos.

Felizmente, eles podem usar essa habilidade psíquica natural para se conectar diretamente com a consciência de toda a humanidade. São os visionários que podem levantar os ânimos dos que estão à sua volta com humor, charme e simpatia.

Os dez planetas

Cada um dos planetas representa uma função psicológica e corresponde aos diversos aspectos da nossa personalidade. Os traços de caráter são sugeridos pelas posições dos planetas e pela relação que eles mantêm entre si. Na Astrologia, o Sol e a Lua, tecnicamente chamados de *luminares*, estão incluídos nos dez planetas que compõem o nosso sistema solar. Os assuntos-chave associados a cada planeta estão listados a seguir.

☉ O sol

Como centro de energia do nosso sistema solar, o Sol irradia o poder da luz e da vitalidade e está relacionado à força doadora da vida. Na Astrologia, ele representa a fonte de energia de cada criatura viva e fornece uma afirmação vigorosa de individualidade. O Sol significa o centro do nosso ser, nosso senso de identidade e ego. O glifo do Sol é um círculo com um ponto no centro, indicando o coração do nosso universo físico. No simbolismo esotérico, esse círculo representa a totalidade do infinito ou da eternidade; o ponto no meio significa um ponto particular no tempo e no espaço dentro dessa totalidade. Força de vontade, energia, força e auto-expressão são apenas alguns dos atributos do Sol. Ele também representa a ambição e o orgulho, a consciência e a autoconfiança e é uma metáfora do pai e do arquétipo masculino. Na mitologia, os reis e os heróis são freqüentemente associados a Hélio ou ao Sol, que é o planeta que rege Leão.

⬆ **Positivo**: vitalidade, individualidade, criatividade, vigor, força de vontade, inspiração, autoconsciência, o ego, identidade

⬇ **Negativo**: egoísmo, autocentramento, orgulho, arrogância, dominação

☾ A lua

A Lua recebe a luz refletida do Sol e é o único satélite que orbita em torno da Terra. A influência da Lua é essencialmente receptiva e não-racional. A Lua simboliza as nossas necessidades emocionais e instintos e governa o elemento água, incluindo os oceanos e as marés, além da vida noturna. Na Mitologia, Ísis, Ártemis e Diana representam as diversas faces da deusa Lua. Tradicionalmente, a Lua está associada ao feminino e à antiga concepção grega de Gaia. Geralmente associada às intuições e à habilidade psíquica, a Lua é também muito retratada no folclore, na poesia e na mitologia. Sua divindade é particularmente expressa por meio da feminilidade e do ciclo de fertilidade, concepção, nascimento, maternidade e abundância da natureza.

Na Astrologia Psicológica, a Lua representa as nossas reações inconscientes e experiências subjetivas. Ela também corresponde ao ímpeto inconsciente de satisfazer as nossas necessidades básicas. A Lua reflete as nossas diferentes tensões e nos força a expressar esses sentimentos. A Lua também influencia as flutuações desses sentimentos ou humores e governa o signo de Câncer.

⬆ **Positivo**: sensibilidade, nutrição, receptividade, intuição, habilidade psíquica

⬇ **Negativo**: humor instável, supersensibilidade, excesso de emotividade

☿ Mercúrio

Na Mitologia, Mercúrio é o mensageiro dos deuses, que deu ao homem a linguagem e a capacidade de se comunicar e de aprender. Entre os gregos, Mercúrio era conhecido como Hermes, que deu de presente à humanidade a escrita e a linguagem.

Mercúrio tem um talento para a retórica e para a impostura mental, um reflexo da habilidade de desenvolver a mente consciente até que nos tornemos bastante inteligentes para o nosso próprio bem. Embora seja muitas vezes retratado como uma figura masculina jovem, Mercúrio não é feminino nem masculino. Isso simboliza o seu papel como um meio neutro de troca de informações. Mercúrio reflete o pensamento intelectual e racional e os poderes de discriminação e está associado ao comércio.

Psicologicamente, Mercúrio representa a habilidade mental e a necessidade de compreender e se comunicar, seja por meio do discurso, da escrita, do ensino, ou de qualquer outra forma de expressão mental.

Mercúrio rege os signos de Gêmeos e Virgem.

Positivo: inteligência, agilidade mental, capacidade de comunicação, intelectualidade

Negativo: impostura, intelecto fraco ou desenvolvimento excessivo do intelecto, falta de lógica

♀ Vênus

Na Mitologia, Vênus é a deusa do amor e da beleza, a mãe de Eros. Para os gregos, ela era conhecida como Afrodite. Simbolizando o princípio feminino, Vênus harmoniza e cria a unidade, além de também conferir o apreço pela natureza e pela arte.

Na área da Psicologia, Vênus representa o impulso para se relacionar com os outros, a expressão das necessidades amorosas e aquilo que traz prazer. Vênus é popular, charmosa e sedutora, embora possa ser um tanto indulgente e despreocupada.

Por tentar evitar confrontos a todo custo, Vênus procura neutralizar as ameaças, cativando ou seduzindo os seus opositores. Como a função de Vênus é promover a união, a atração exerce um papel importante. Vênus confere ênfase à aparência externa, à sociabilidade, ao amor romântico e ao sexo oposto. O planeta Vênus confere ainda um caráter doce, apreço pela natureza e desejos fortes. Vênus também 'suaviza' tudo o que toca e dota de senso estético e bom gosto, refinamento natural e talento para a arte e a música. Vênus governa tudo o que você valoriza e revela as suas atitudes em relação ao dinheiro e posses, além da autovalorização.

Vênus rege os signos de Touro e Libra.

Positivo: amor à beleza e à arte, calor humano, sociabilidade, senso de valor, cooperação

Negativo: busca do prazer, indulgência excessiva, preguiça, luxúria

♂ Marte

Na Mitologia, Marte é o deus da guerra.

Marte governa o nosso instinto de sobrevivência, seja nas ocasiões em que lutamos, seja nas ocasiões em que fugimos. Por ser a antítese de Vênus, Marte representa o princípio masculino e é competitivo, assertivo e pronto para a ação. Marte é cheio de energia e impulso e dá prova de coragem e vigor dinâmico quando enfrenta os adversários.

Marte também é associado ao arquétipo do herói. As qualidades marcianas são freqüentemente associadas a atos de bravura e indicam uma mentalidade destemida. Na vida moderna, podemos usar a energia de Marte para impulsionar a nossa carreira, realizar os nossos objetivos ou defender as nossas convicções.

Como a função de Marte diz respeito à nossa vontade de sobrevivência, ela é relacionada à liberação de adrenalina nos nossos corpos e à habilidade de reagir rapidamente. Em excesso, essas mesmas energias que geram assertividade e nos ajudam a lutar também podem se manifestar em um temperamento difícil, na raiva, na agressão e na impaciência. No entanto, sem Marte nós não teríamos dinamismo, vigor, iniciativa ou impulso para alcançar as nossas ambições pelo esforço.

Marte governa o signo de Áries.

🅾 **Positivo**: assertividade, coragem, dinamismo, ação, vigor
🅾 **Negativo**: agressividade, violência, comportamento grosseiro, raiva, inquietude

♃ Júpiter

Júpiter é o maior planeta do nosso sistema solar. Com o mesmo nome do deus do panteão romano (conhecido como Zeus entre os gregos), na Mitologia, Júpiter era associado à sabedoria, à vitória e à justiça. Em consonância com o seu grande tamanho, Júpiter expande ou exagera. Ele representa a nossa habilidade de ir além dos nossos horizontes atuais e buscar um plano ou visão maior, com otimismo e confiança.

O desejo de descobrir o sentido e a verdade maiores significa que Júpiter aborda a vida de forma filosófica. O desejo por um conhecimento mais amplo inspira um maior aprendizado e está ligado às universidades ou professores espirituais.

Além disso, como Senhor da Verdade, Júpiter é, com freqüência, associado ao sistema judicial, aos tribunais, à lei e à ordem.

Juntamente com o impulso de expansão mental, a sorte e abundância estão muitas vezes ligadas a Júpiter. Júpiter estimula o anseio por experiências e viagens a lugares distantes e exóticos. A expansão excessiva, contudo, pode levar à avidez, ao falso otimismo, à insinceridade e ao ego inflado. No melhor dos casos, Júpiter simboliza o idealista generoso e bem-humorado, que tem fé e sabedoria para tornar os próprios planos realidade.

Júpiter rege Sagitário.

🅾 **Positivo**: desejo de verdade, generosidade, idealismo, otimismo, viagens longas, aprendizado elevado
🅾 **Negativo**: exagero, excesso de expansão, falso otimismo, avidez

♄ Saturno

Na Mitologia, Saturno é o Velho Senhor, o Tempo, o Ceifador. Nos períodos grego e romano, Saturno era o deus da ordem social e era reproduzido como o colhedor, com uma foice simbolizando o princípio de que colhemos o que plantamos. Saturno representa a justiça perfeita ou a lei da causa e do efeito.

Psicologicamente, Saturno é o arquétipo do velho homem sábio, do professor. Aceitando a responsabilidade e a disciplina para atingirmos a auto-realização, nós nos tornamos mais velhos e mais sábios. O trabalho e o treinamento árduos sugeridos pela influência restritiva de Saturno, em última análise, valem a pena, porque são a única maneira de aprendizado. Para equilibrar a expansividade de Júpiter, temos a influência restritiva de Saturno, que pode conter o excesso de presunção e manter a ordem. A influência restritiva de Saturno, no entanto, pode gerar pessimismo, medo e seriedade excessiva.

Saturno quer definição, forma e estrutura. Ele cria fronteiras para manter controle, regulação e segurança. Saturno representa qualquer coisa dura, desde os nossos ossos e dentes até as situações em que precisamos ser duros com nós mesmos.

Como este planeta requer que enfrentemos as nossas responsabilidades e deveres, as suas lições são às vezes pouco confortáveis. Saturno é totalmente justo e imparcial: o trabalho dedicado é recompensado. Com Saturno, você não pode esperar algo do nada. Ele fornece determinação e perseverança para sermos bem-sucedidos.

Saturno governa o signo de Capricórnio.

🡅 **Positivo**: disciplina, ordem, autoridade, sabedoria, realismo, paciência, perseverança

🡇 **Negativo**: pessimismo, medo, excesso de severidade

♅ Urano

O antigo nome de Urano era Céu Noturno e, na Mitologia, Urano era o pai de Saturno.

A vastidão dos céus simboliza a nossa habilidade de abrir as mentes para o universal. Urano traz iluminação e liberdade de espírito, rompendo com a restrição e a segurança de Saturno. Esse tipo de liberdade requer que deixemos espaço em nossa vida para o inesperado, ou que ousemos expressar a nossa individualidade, apesar das pressões do conformismo. Mas se forçarmos muito, corremos o risco de nos tornar rebeldes sem causa.

Por uma análise psicológica, por intermédio de Urano nós podemos ampliar o nosso ponto de vista para ter uma visão universal e compreender a humanidade como uma família de irmãos e de irmãs. Urano nos leva a lutar pelos direitos humanos e pela liberdade de expressar o nosso eu. Urano governa a energia elétrica de todos os tipos: ondas de televisão e de rádio, campos magnéticos, *lasers*, computadores e a nova tecnologia eletrônica.

Sempre olhando para o futuro e com capacidade de pensar de forma simbólica e abstrata, Urano representa a intuição e a inventividade. Isso de uma forma geral significa estar à frente da sociedade como um todo e se expressar de maneira individualista e não-convencional.

Urano rege o signo zodiacal Aquário.

🡅 **Positivo**: liberdade, humanitarismo, desapego, objetividade

🡇 **Negativo**: rebelião, excentricidade, tendências revolucionárias, teimosia

♆ Netuno

Na Mitologia, Netuno é o rei do mar, profundo, insondável e misterioso. Assim como o oceano pode dissolver as rochas em areia, Netuno pode, lenta e sutilmente, dissolver as barreiras criadas pelo ego, levando-nos à experiência mística. A névoa que paira sobre o mar é análoga à névoa que circunda este planeta, onde nada é sólido e tudo é ilusório e enigmático.

Psicologicamente, a função de Netuno é nos ajudar a transcender as nossas limitações, por meio do refinamento e da purificação de nossa natureza emocional. Diferentemente de Saturno, ele não tem fronteiras, mas sim um senso de unidade com todas as coisas. Contudo, essa habilidade para se misturar com tudo pode gerar uma sensação de incerteza. A extrema sensibilidade a tudo, indicada pela influência de Netuno, pode conferir uma grande compaixão pelo sofrimento da humanidade.

Ele ainda oferece a habilidade de se perder na inspiração criativa da arte, da música ou do teatro. Netuno pode dar ao artista a inspiração e a imaginação para tudo o que é possível. Com uma percepção e imaginação elevadas, pode ser fácil escapar para um mundo de fantasia, para o excesso de drogas ou de álcool, ou enganar a si mesmo e entrar em confusão. O trabalho positivo com Netuno envolve uma visão do nosso ideal que nos leva a alcançar os nossos sonhos.

Netuno rege o signo zodiacal de Peixes.

⬆ **Positivo**: sensibilidade, visão, compaixão, inspiração, transcendência

⬇ **Negativo**: ilusão, engano, escapismo, confusão, incerteza

♇ Plutão

Mitologicamente, Plutão, o rei do submundo, representa transformação, morte e renascimento. Plutão significa mudança profunda, e sua energia é intensa e poderosa. Sob a influência de Plutão, podemos ter a habilidade de penetrar ou ler o subconsciente a partir de sinais subliminares que ele gera, especialmente por meio da linguagem corporal. Isso pode ser usado positivamente em áreas como a Psicologia Profunda, mas também pode ser usado para controlar os outros.

A descoberta do planeta Plutão aconteceu na mesma época da descoberta das partículas subatômicas e da publicação da teoria do inconsciente de Jung. Seja governando personagens sombrias do submundo, fanáticos ou terroristas, ou grandes transformadores que trabalham para o bem da sociedade, a energia de Plutão pode ser extrema. Ele também pode provocar esse mesmo nível de reação intensa dentro de nós. Plutão freqüentemente simboliza a reação do tudo ou nada. Como parte de nossos esforços em direção ao auto-aperfeiçoamento, há sempre momentos em que devemos deixar para trás o velho sem garantias para o futuro. A energia da morte e do renascimento é poderosamente simbolizada por Plutão. Com a ajuda de Plutão, aceitamos as mudanças da nossa vida e aprendemos a deixar para trás, na hora certa, o passado ou qualquer coisa que tenhamos de superar. Plutão nos ensina que todo fim é um novo começo e que a vida continua. Esse conhecimento nos ajuda em todo o processo de reconstrução.

Plutão governa o signo de Escorpião.

⬆ **Positivo**: poder, transformação, regeneração, revelação do oculto

⬇ **Negativo**: abuso do poder, obsessão, compulsão

Decanatos

Um decanato consiste em 10 dos 360 graus do círculo zodiacal. Cada signo tem 30 graus daquele círculo, e assim cada signo contém três decanatos espacialmente equivalentes, embora simbolicamente diferentes. Lembre-se de que 30 graus do zodíaco equivalem a uma porção de 30 graus do caminho da Terra em volta do céu. À medida que o Sol passa pelo signo zodiacal (a constelação zodiacal no céu celestial oposta à posição da Terra em relação ao Sol) no curso de um mês astrológico, o Sol passa por três decanatos, um após o outro. O Sol se move para um novo decanato a cada dez dias, aproximadamente. Cada um dos três decanatos adiciona as influências do próprio planeta e signo às influências básicas gerais do signo do Sol.

Considerando o decanato, além do signo do Sol, podemos apurar a leitura da data de nascimento individual. Por exemplo, um capricorniano nascido no segundo decanato estará sob a influência do signo de Touro. Os egípcios antigos consideravam os significados dos decanatos tão importantes quanto os do signo do Sol.

As influências dos decanatos são determinadas pelo elemento associado ao signo que os contém. Cada signo se associa simbolicamente a um dos quatro elementos fundamentais:

- O elemento **fogo** rege: Áries, Leão, Sagitário
  Regentes planetários: Marte, Sol, Júpiter
- O elemento **terra** rege: Touro,Virgem, Capricórnio
  Regentes planetários: Vênus, Mercúrio, Saturno
- O elemento **ar** rege: Gêmeos, Libra, Aquário
  Regentes planetários: Mercúrio, Vênus, Urano
- O elemento **água** rege: Câncer, Escorpião, Peixes
  Regentes planetários: Lua, Plutão, Netuno

A seqüência dos três decanatos obedece ao mesmo padrão de cada um dos doze signos solares. Os decanatos de cada signo do Sol estão associados aos três signos associados ao elemento ligado ao do signo do Sol. Por exemplo, como você pôde ver anteriormente, Áries está ligado ao elemento fogo. Todas as pessoas nascidas sob o signo de Áries pertencem ao elemento fogo. Todos os três decanatos de Áries estão associados a signos correspondentes ao fogo. O primeiro decanato de Áries está associado ao signo do Sol mais próximo de Áries e ligado ao fogo, nomeadamente, o próprio signo de Áries. Em seguida, viajando em direção oposta ao do relógio ao longo do círculo do zodíaco, o próximo elemento fogo será Leão. Leão está, por isso, associado ao segundo decanato. Continuando o percurso pelo círculo, alcançamos o terceiro signo relacionado ao elemento fogo: Sagitário. O terceiro decanato de Áries está associado a Sagitário. Acontece o mesmo para todos os decanatos de todos os signos do Sol.

Cada signo, indo além, está associado a um planeta. Assim como o signo do Sol tem um regente planetário, o mesmo acontece para cada signo do decanato. O decanato de Áries é regido pelo planeta Marte e o decanato de Sagitário é regido pelo planeta Júpiter.

No diagrama a seguir, você poderá ver claramente como os decanatos operam dentro dos diferentes signos. Apresentamos uma lista dos signos do Sol e as influências dos decanatos localizados dentro de cada um deles, juntamente com os dias associados a cada decanato.

ÁRIES, 21 DE MARÇO A 20 DE ABRIL	
Áries-Áries	Decanato de Marte: 20-21 de março a 30 de março
Áries-Leão	Decanato do Sol: 31 de março a 9 de abril
Áries-Sagitário	Decanato de Júpiter: 10 de abril a 20-21 de abril

TOURO, 21 DE ABRIL A 21 DE MAIO	
Touro-Touro	Decanato de Vênus: 20-21 de abril a 30 de abril
Touro-Virgem	Decanato de Mercúrio: 1 de maio a 10 de maio
Touro-Capricórnio	Decanato de Saturno: 11 de maio a 21-22 de maio

GÊMEOS, 22 de MAIO A 21 DE JUNHO	
Gêmeos-Gêmeos	Decanato de Mercúrio: 21-22 de maio a 31 de maio
Gêmeos-Libra	Decanato de Vênus: 1 de junho a 10 de junho
Gêmeos-Aquário	Decanato de Urano: 11 de junho a 21-22 de junho

CÂNCER, 22 DE JUNHO A 22 DE JULHO	
Câncer-Câncer	Decanato da Lua: 21-22 de junho a 1 de julho
Câncer-Escorpião	Decanato de Plutão: 2 de julho a 11 de julho
Câncer-Peixes	Decanato de Netuno: 12 de julho a 22-23 de julho

LEÃO, 23 DE JULHO A 22 DE AGOSTO	
Leão-Leão	Decanato do Sol: 23-24 de julho a 2 de agosto
Leão-Sagitário	Decanato de Júpiter: 3 de agosto a 12 de agosto
Leão-Áries	Decanato de Marte: 13 de agosto a 22-23 de agosto

VIRGEM, 23 DE AGOSTO A 22 DE SETEMBRO	
Virgem-Virgem	Decanato de Mercúrio: 22-23 de agosto a 2 de setembro
Virgem-Capricórnio	Decanato de Saturno: 3 de setembro a 12 de setembro
Virgem-Touro	Decanato de Vênus: 13 de setembro a 22-23 de setembro

LIBRA, 23 DE SETEMBRO A 21 DE OUTUBRO	
Libra-Libra	Decanato de Vênus: 22-23 de setembro a 3 de outubro
Libra-Aquário	Decanato de Urano: 4 de outubro a 13 de outubro
Libra-Gêmeos	Decanato de Mercúrio: 14 de outubro a 22-23 de outubro

ESCORPIÃO, 23 DE OUTUBRO A 21 DE NOVEMBRO	
Escorpião-Escorpião	Decanato de Plutão: 22-23 de outubro a 2 de novembro
Escorpião-Peixes	Decanato de Netuno: 3 de novembro a 12 de novembro
Escorpião-Câncer	Decanato da Lua: 13 de novembro a 21-22 de novembro

SAGITÁRIO, 22 DE NOVEMBRO A 21 DE DEZEMBRO	
Sagitário-Sagitário	Decanato de Júpiter: 21-22 de novembro a 2 de dezembro
Sagitário-Áries	Decanato de Marte: 3 de dezembro a 12 de dezembro
Sagitário-Leão	Decanato do Sol: 13 de dezembro a 21-22 de dezembro

CAPRICÓRNIO, 22 DE DEZEMBRO A 20 DE JANEIRO	
Capricor.-Capricor.	Decanato de Saturno: 21-22 de dezembro a 31 de dezembro
Capricórnio-Touro	Decanato de Vênus: 1 de janeiro a 10 de janeiro
Capricórnio-Virgem	Decanato de Mercúrio: 11 de janeiro a 20-21 de janeiro

AQUÁRIO, 21 DE JANEIRO A 19 DE FEVEREIRO	
Aquário-Aquário	Decanato de Urano: 20-21 de janeiro a 30 de janeiro
Aquário-Gêmeos	Decanato de Mercúrio: 31 de janeiro a 9 de fevereiro
Aquário-Libra	Decanato de Vênus: 10 de fevereiro a 19-20 de fevereiro

PEIXES, 20 DE FEVEREIRO A 20 DE MARÇO	
Peixes-Peixes	Decanato de Netuno: 19-20 de fevereiro a 1 de março
Peixes-Câncer	Decanato da Lua: 2 de março a 11 de março
Peixes-Escorpião	Decanato de Plutão: 12 de março a 20-21 de março

Progressões

As progressões astrológicas são muito usadas como uma técnica do sistema de predições. O mais conhecido método de progressão se faz pela substituição de "um dia por um ano" como modo de mostrar simbolicamente as nossas vidas em câmera lenta. Nesse sistema simbólico de interpretação, os movimentos planetários ao longo de um dia são traduzidos como o movimento de planetas ao longo de um ano. Por exemplo, as posições dos corpos celestiais nos 24 dias depois do nascimento correspondem ao 24º ano da vida da pessoa.

O Sol é o signo do grande círculo estelar do zodíaco oposto à posição da Terra em relação ao Sol. Como a Terra orbita em torno do Sol, este se move através dos diversos signos localizados nos intervalos de 30 graus deste grande círculo estelar.

Neste livro, seguimos essa jornada do Sol através dos vários signos e interpretamos como isto afeta cada indivíduo. Com o sistema de progressão de "um dia por um ano", o Sol demora aproximadamente trinta anos, e não trinta dias, para viajar por cada signo zodiacal. Por exemplo, se você nasceu na cúspide entre dois signos, no sistema "um dia por um ano" o seu Sol progredido chega à próxima cúspide depois de trinta anos, no seu 30º aniversário. Se você nasceu no décimo quinto dia de um determinado signo do Sol, o seu Sol progredido se move até o próximo signo do Sol depois de quinze anos; no seu 30º aniversário, você terá alcançado a metade deste signo.

Se você nasceu perto do final do signo zodiacal ou em uma cúspide, o seu Sol progride até o próximo signo zodiacal em poucos anos. Nessas ocasiões, você pode sentir uma afinidade maior com o signo seguinte do que com o seu signo solar. Colocamos abaixo três exemplos e um mapa correspondente das progressões do Sol; os períodos de mudança estão assinalados com um X.

EXEMPLO 1: Se você nasceu no início do signo de Gêmeos, isto é, no dia 23 de maio, o seu Sol progride através de Gêmeos durante vinte e oito anos. Ele se move para o signo de Câncer quando você tem cerca de 29 anos. Em seguida, o Sol demora mais trinta anos para completar a jornada através do signo de Câncer e se mover para Leão, quando você completa 59 anos.

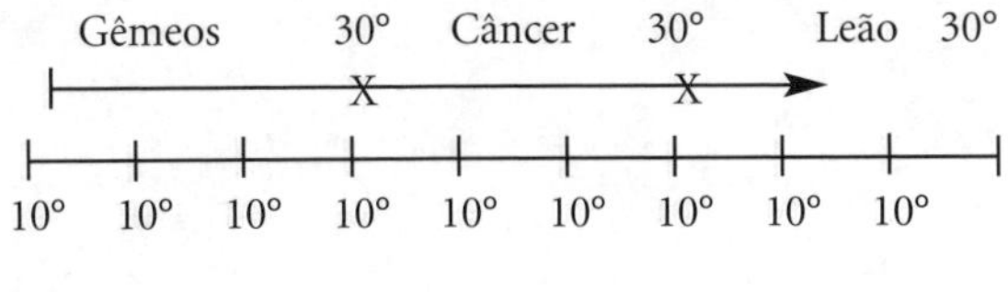

EXEMPLO 2: Se você nasceu no meio do signo de Virgem, isto é, no dia 7 de setembro, o seu Sol progredido irá mudar de signo zodiacal e entrar em Libra quando você tiver 15 anos. O Sol precisará então de mais trinta anos para atravessar o signo de Libra, antes de entrar no signo de Escorpião, quando você tiver aproximadamente 45 anos. Outra mudança ocorrerá aos 75 anos, quando o seu Sol progredido entrar no signo de Sagitário.

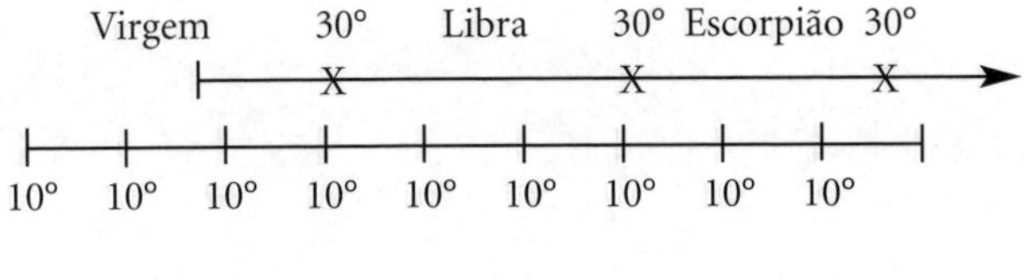

EXEMPLO 3: Se você nasceu nos últimos dias de Sagitário, o seu Sol progride até Capricórnio quando você ainda é bebê. O Sol precisa então de trinta anos para atravessar Capricórnio. Outra mudança ocorrerá aos 31 anos, quando o seu Sol progredido entrar no signo de Aquário. Quando você completar 61 anos, o seu Sol progredido mudará novamente de signo e entrará em Peixes.

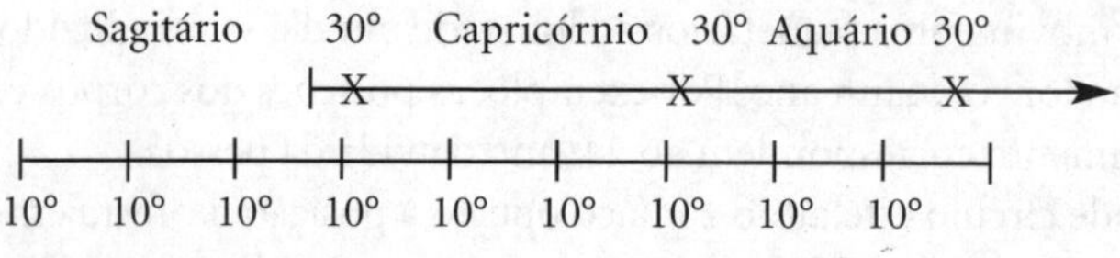

Introdução às Estrelas Fixas

As Estrelas Fixas pertencem ao grande Cosmos e não ao nosso sistema solar. Diferentemente dos planetas que orbitam o nosso Sol, as estrelas fixas também são sóis; de fato, dependendo da sua magnitude, algumas estrelas fixas são muito maiores e mais brilhantes do que o nosso Sol. Quando falamos a respeito de estrelas fixas, usamos o termo "anos-luz" para descrever as vastas distâncias que são difíceis de calcular ou entender. Devido à distância que essas estrelas estão da Terra, para nós elas parecem estacionárias e são, por isso, chamadas de estrelas "fixas". A influência das Estrelas Fixas é referente à sua força, que é calculada pelo seu brilho.

Embora haja milhões de Estrelas Fixas no Universo, na prática astrológica, relativamente poucas delas são consideradas — propriamente, as que estão localizadas perto do anel zodiacal. A observação e a relação das Estrelas Fixas com os eventos do mundo tiveram início milhares de anos atrás. Os nomes delas foram dados nas eras mesopotâmica e babilônica. As Estrelas Fixas foram mencionadas na Epopéia de Gilgamesh e, juntamente com os cometas, eclipses e planetas, desempenhavam um importante papel na interpretação dos fenômenos do tempo. Além dos babilônicos, os egípcios acreditavam na poderosa influência das Estrelas Fixas. Como conheciam o poder da natureza e eram dependentes do rio Nilo para a sobrevivência, os egípcios celebravam o solstício de verão do calendário agrícola com ritos de fertilidade e associavam o nascer da estrela Sirius à inundação do rio Nilo. Recentemente, surgiram muitos indícios de que os egípcios alinharam as majestosas pirâmides de Giza ao Cinturão Oriental. Embora muitos historiadores ainda achem que as grandes pirâmides são uma testemunha dos grandes reis do Egito, diversas novas descobertas arqueológicas revelam uma nítida conexão entre o projeto da Pirâmide de Queóps e as estrelas circumpolares.

Na história do nascimento de Jesus, uma estrela guiou os três homens sábios ao estábulo de Belém. Na Grécia, em torno do ano 250 a.C., foram registrados catálogos de Estrelas Fixas. A observação das Estrelas Fixas continuou por toda a História e foi incorporada à compreensão celestial dos antigos. As Estrelas Fixas eram associadas a diferentes aspectos da vida; a origem da sua interpretação deriva dos símbolos com os quais as constelações eram associadas. Por exemplo, na constelação de *Alpha Leonis*, ou Leão, a estrela fixa mais brilhante é *Regulus* (também chamada de Coração do Leão), que simboliza força, poder e autoridade. Ela é uma das Estrelas Fixas mais importantes do céu e está associada à realeza e às honrarias. Usualmente, ela aparece nos mapas de reis, rainhas, regentes e altos funcionários de governo. Essa estrela está também associada às pessoas que são favorecidas pelo público e confere autoridade.

A importância das estrelas fixas deriva do fato de que os corpos materiais do Cosmos estão em estado de corrente elétrica e são circundados por um campo magnético. Mesmo a emissão mais fraca pode influenciar a Terra. Isso é incrivelmente semelhante ao termo "efeito borboleta", usado pela moderna teoria do caos, que acredita que até mesmo uma asa de borboleta batendo no ar pode criar um efeito ondular que leva a uma transformação do sistema meteorológico em outra parte do mundo.

Como as Estrelas Fixas são essencialmente as mesmas que o nosso próprio Sol, elas têm campos de força similares. O efeito das estrelas é medido por sua magnitude e brilho.

As Estrelas Fixas proporcionam uma compreensão fascinante do subconsciente e do potencial ou problemas que um indivíduo pode ter. Essa interpretação, contudo, deve ser analisada cuidadosamente em relação ao horóscopo natal completo; as Estrelas Fixas não são interpretadas separadamente, mas sempre tomadas como uma subinfluência nas qualidades celestiais dos planetas. As Estrelas Fixas devem ser entendidas como uma força que amplia ou diminui as forças dos planetas com os quais mantêm contato.

Listamos nas páginas dos dias de aniversário as Estrelas Fixas mais influentes para cada dia. Freqüentemente, outras Estrelas Fixas exercem influências adicionais, e nós incluímos as suas interpretações no apêndice acerca de Estrelas Fixas no final deste livro.

Observe que nem todos os dias deste livro estão associados a uma estrela fixa. Discutimos apenas as estrelas associadas ao Sol, e quando não há estrelas de grande influência próxima ao Sol em um determinado dia, esse dia de aniversário não tem estrelas fixas. É provável, no entanto, que haja outras estrelas fixas associadas às posições dos planetas naquele dia. Com um mapa natal, você poderá usar o apêndice deste livro para entender as influências que as Estrelas Fixas associadas ao seu planeta exercem sobre você. Nossa discussão a respeito das Estrelas Fixas neste livro pretende ser somente uma introdução ao seu intrincado e fascinante reino.

Estrelas Fixas: regras básicas de interpretação

Em um ano, o Sol viaja através dos 360 graus do círculo zodiacal. Os doze signos astrológicos ocupam, cada um, 30 graus deste círculo. As estrelas fixas ocupam pontos de graus únicos, mas as suas órbitas, ou espectro de influência, podem ter muitos graus. A magnitude da estrela afeta a potência da sua influência. Tanto o espectro quanto a potência devem ser calculados para a determinação do potencial de duração e força da influência exercidos pela Estrela Fixa. Quando o Sol ou um planeta estão dentro da órbita de uma estrela fixa, a influência da estrela é nitidamente sentida, mais poderosamente no momento da conjunção e com uma intensidade menor à medida que o Sol ou o planeta se movem para fora da órbita.

Magnitude da Estrela Fixa

O poder de uma estrela é julgado por sua magnitude.

A maior magnitude: entre 0 e -1.

Magnitude 1: orb de 2° 30'
Magnitude 2: orb de 2° 10'
Magnitude 3: orb de 1° 40'
Magnitude 4: orb de 1° 30'
Magnitude 5: estrelas, agrupamentos e nebulosa: orb menor que 1°

Neste livro, ilustramos as influências positivas e negativas dessas estrelas sobre o dia de aniversário individual. Tentamos não apenas fornecer as interpretações clássicas, mas também sugerir os seus efeitos vistos à luz das interpretações da Psicologia Moderna.

Demos uma classificação de força para cada estrela, que corresponde a sua magnitude. Uma magnitude de -1, a maior, recebe uma classificação de força correspondente a dez estrelas. Uma magnitude de 5, a mais fraca, recebe uma classificação de duas estrelas.

Lista das estrelas fixas de Aquário

Albireo	★★★★★★
Altair	★★★★★★★★★★★
Giedi	★★★★
Dabih	★★★★★★
Oculus	★★
Bos	★★
Armus	★★
Dorsum	★★★★
Castra	★★★★
Nashira	★★★★
Sad Al Suud	★★★★★★
Deneb Algedi	★★★★★★

Introdução à Numerologia

A crença de que os números possuem poderes sagrados é compartilhada não apenas pelas culturas arcaicas e pelos filósofos gregos, mas também pelos estudiosos renascentistas e muitos matemáticos contemporâneos.

Os entalhes gravados em ossos encontrados no Zaire, que datam entre 9000 e 750 a.C., correspondem às marcas das fases lunares e são um dos primeiros sinais da adiantada atividade matemática.

A Numerologia é tão Antiga quanto a Astrologia e tem a sua origem nas culturas mesopotâmica, judaica e grega antigas. Por exemplo, acreditava-se que os números e cartas do Antigo Testamento estavam relacionados a significados ocultos relativos a mensagens, sonhos e nomes de pessoas. Cada cultura desenvolveu o seu próprio sistema de interpretação de números para dar sentido ao Universo e à natureza humana. Os mais respeitados sistemas que contêm a Numerologia são as teorias de Pitágoras, da cabalística, do I Ching e dos maias.

Muitos filósofos gregos ficavam intrigados com o mistério dos números. Um dos mais extraordinários pensadores da antiga época grega foi Pitágoras, que dizia que os números eram sagrados e que "todas as coisas são números". Ele era um líder religioso, místico e estudioso de matemática pura. Diferentemente de muitos matemáticos modernos, ele unia a teologia ao pensamento racional. Pitágoras deixou um legado único à cultura ocidental e um início para a identificação dos números. Ao descobrir a importância da ligação entre a música e os números, ele estabeleceu uma conexão harmônica entre as notas musicais e a Matemática. Ao perceber que os números correspondiam às formas, ele foi o primeiro a descrever as figuras oblongas, o quadrado e o triângulo como um conjunto de pontos ou números. Seus seguidores, os pitagóricos, foram também os primeiros a acreditar que os princípios da Matemática eram a base de todas as coisas existentes e, desde então, entre esses princípios, os números são por natureza arquétipos primários, pois eles, acima de qualquer outra coisa, estabelecem a ordem na natureza e no Universo.

Alguns matemáticos contemporâneos dão eco a essas crenças e argumentam que quanto mais profundamente se percebe a maneira como o Universo funciona, mais se percebe que o Cosmos tem uma essência matemática. Os números e a Matemática salientam o modo mais preciso pelo qual o Universo se comporta.

Há três padrões básicos de números. Podemos ver os números por meio de teorias matemáticas, de definições filosóficas e de simbolismo numérico. No início do século XX, Jung interpretou o número como um arquétipo de ordem que se tornou consciente e afirmou que os números são instrumentos para a criação da ordem. Ele acreditava que um número tem uma natureza qualitativa e quantitativa. De fato, mesmo as investigações da física das partículas sugerem que as mudanças na quantidade atômica resultam em diferenças qualitativas perceptíveis no mundo macroscópico.

A Numerologia, da mesma maneira que a Astrologia, é um sistema simbólico, uma das diversas ferramentas que podemos usar para entender a nós mesmos e a nossa vida. Os números possuem uma natureza dual e podem representar tanto uma força negativa quanto uma força positiva. A exploração do seu significado pode nos ajudar a descobrir e desenvolver o nosso potencial pessoal e nos guiar na nossa vida.

Neste livro, nós nos concentramos particularmente nas interpretações qualitativas dos números em relação ao dia e mês de nascimento de uma pessoa e mostramos nas páginas a seguir como é simples descobrir o seu número holístico.

Como calcular o seu número holístico

O seu número holístico é simbolizado pela soma total dos números do dia, ano e mês do seu aniversário. Esse número revela o propósito da sua vida ou desafio, com os atributos positivos e negativos. Entendendo o seu número holístico, você pode atingir um nível mais alto de autoconsciência. Tudo o que você precisa é somar todos os dígitos, um por um. Por exemplo:

28 de junho de 1956 (28/6/1956) = 2 + 8 + 6 + 1 + 9 + 5 + 6 = 37 = 3 + 7 = 10 = 1 + 0 = 1.

O seu número holístico é 1, que também pode ser lido como 37/1

20 de outubro de 1961 (20/10/1961) = 2 + 0 + 1 + 0 + 1 + 9 + 6 + 1 + 20 = 2 + 0 = 2.

O seu número holístico é 2, que também pode ser lido como 20/2.

Os nove números básicos

A qualidade de cada um dos nove números básicos pode ter uma expressão positiva ou negativa na personalidade da pessoa, dependendo de como ela aborda os desafios da vida.

Número 1

A dinâmica do número 1 é consciente. Os atributos positivos do número 1 são assertividade, criatividade, singularidade e independência. Se o seu número holístico é 1, isso sugere que você é uma pessoa inventiva e cheia de vitalidade, ambição e impulso. Pioneiro e com um espírito ousado, você gosta de assumir um papel de liderança e de expressar a própria originalidade. À medida que conhece a própria força criativa e individualidade, você passa a ter mais necessidade de se expressar e de estar preparado para enfrentar a vida. Freqüentemente, isso pode significar pensar de forma diferente ou agir por conta própria. Às vezes, você pode se sentir isolado do seu ambiente imediato, principalmente se está dando início a novas idéias. A inspiração é a chave para a sua motivação, e o desenvolvimento da sua intuição irá ajudá-lo a decidir o que fazer quando confrontado com diversas escolhas. A sua grande força de vontade e determinação levam-no a liderar e não a ser liderado. Por toda a sua vida, você está propenso a ter experiências que irão ensiná-lo a superar as suas inseguranças, sejam elas de ordem emocional, física ou mental. Assumir a responsabilidade sobre as suas ações também faz parte da sua lição de vida. No melhor dos casos, você é uma pessoa confiante e confiável, que inspira os outros de uma forma positiva. O desenvolvimento da tolerância, da compaixão e da paciência irá ajudá-lo a alcançar os seus objetivos. Quando pode aperfeiçoar as suas habilidades, sente-se encorajado para exibir um pouco da sua originalidade. Os desafios que se colocam para as pessoas de número 1 incluem oscilações entre a falta de confiança e o excesso de confiança, ser uma pessoa exigente, arrogante, egoísta e um tanto ditatorial.

Número 2

A dinâmica do número 2 é sensorial. Os atributos positivos são sociabilidade, receptividade e habilidade para equilibrar as suas necessidades com as necessidades dos outros. Os indivíduos de número 2 têm jeito para lidar com as pessoas e muitas vezes aprendem por meio do trabalho cooperativo. Se o seu número holístico é 2, você é uma pessoa atenciosa e sensível aos sentimentos dos outros e tem uma natureza cortês e romântica.Você é também diplomático, amigável e sociável, com interesse por relações públicas. Intuitivo e adaptável, prospera quando é encorajado, mas pode ser suscetível à bajulação. Você precisa aprender a distinguir entre ser cooperativo e ajudar os outros e ser subserviente e se martirizar devido a inseguranças emocionais. A sua confiança pode ser abalada caso se torne excessivamente dependente; por isso, você precisa dar e receber em medidas iguais. Se você for uma pessoa carente ou vulnerável, outras pessoas podem facilmente se aproveitar da sua natureza gentil. O indivíduo número 2 precisa aprender a lidar com confrontos sem agressividade e aprender a dizer não sem se sentir culpado.Você também se beneficia ao receber ajuda alheia sem parecer fraco. A auto-aceitação é o caminho certo para as pessoas número 2. As suas realizações positivas são alcançar harmonia interior, desenvolver objetivos com propósito e estabelecer limites.

Os desafios para as pessoas número 2 são dependência, inquietude, insegurança, sensibilidade excessiva, ser facilmente desencorajado, desconfiança habitual das pessoas e baixa auto-estima.

Número 3

A dinâmica do número 3 é expressiva ou emocional. Os atributos positivos são a auto-expressão criativa, à sensibilidade, à imaginação e à versatilidade. Se o seu número holístico é 3, isso sugere que você é uma pessoa entusiástica, que gosta de se divertir, é sociável e amigável. Você pode exibir a sua natureza multitalentosa por meio de diversas atividades artísticas. Contudo, fazer escolhas pode ser um de seus desafios. Como uma pessoa número 3, você gosta de interagir com os outros, por intermédio de diversões, de reuniões sociais e de conversas íntimas. Amante da liberdade e emotivo, você precisa expressar a alegria de viver. Você também sabe sintetizar bem o seu conhecimento e transmitir as suas idéias. As pessoas número 3 costumam evitar conflitos, mantendo-se animadas e otimistas. Como o seu aprendizado se relaciona ao crescimento emocional e à auto-expressão, talvez você precise desenvolver uma compreensão mais profunda dos seus sentimentos, e, em vez de manipular as situações, deve expressar aberta e diretamente os seus sentimentos.

Os indivíduos número 3 podem também ter instabilidade emocional ou sentimentos negativos, como inveja e ódio. Embora sejam espirituosos e saibam lidar com as palavras, se se sentirem tímidos e inseguros podem se isolar ou ficar inibidos, achando difícil expressar os sentimentos. A realização e a satisfação emocional normalmente derivam da alegria de compartilhar e aprender a respeito do amor e da compaixão.

Os desafios para o número 3 são a preocupação e a dúvida quanto a si mesmos, a tendência para desperdiçar energia, exagero, intolerância, sentir-se despreparado, indecisão e irresponsabilidade.

Número 4

A dinâmica do número 4 é física. Os atributos positivos do número 4 são praticidade, capacidade de organização e autodisciplina. Se o seu número holístico é 4, você é uma pessoa honesta, direta e trabalhadora, que deseja ter estabilidade. Os indivíduos número 4 são pacientes, meticulosos e sabem que a metodologia e a preparação são essenciais. Qualquer coisa que fizerem na vida precisa ter um propósito e uma aplicação prática. Embora sejam indivíduos severos e que não demonstram as emoções, são leais e confiáveis.

Como número 4, você tem habilidades ligadas à forma, técnica e mecânica. Astutas e preocupadas com a própria segurança, as pessoas de número 4 são atraídas pelo mundo financeiro ou de negócios em geral. Você tende à teimosia e à rigidez e seria bom aprender a ser mais flexível e adaptável. A sua ambição e vitalidade geralmente o ajudam a resistir, enquanto outros desistem por falta de energia. No entanto, talvez seja necessário aprender a não assumir mais do que pode. Embora proteja as pessoas de quem cuida, você precisa superar a tendência a controlar as situações e a ser dominador.

Os indivíduos número 4 são, em geral, conhecidos como construtores e, de fato, podem muitas vezes ser os fundadores de projetos e empreendimentos.

Os desafios para o número 4 são dogmatismo, obstinação, falta de confiabilidade, oscilações entre ser muito preguiçoso ou trabalhar em excesso, dificuldade para deixar o passado para trás e dar em excesso.

Número 5

A dinâmica do número 5 é instintiva. Os atributos positivos do número 5 são engenhosidade, reações rápidas e ação decisiva. Os indivíduos número 5 são entusiásticos e amantes da liberdade. Se tiver uma disposição positiva, você é uma pessoa autodisciplinada e concentrada, com uma mente alerta e astuta. Embora possa ser uma pessoa responsável, você precisa de autonomia para se movimentar livremente.

Geralmente versátil e empreendedor, você gosta de conhecer novas pessoas e de ter experiências diferentes. Liberal e mentalmente aberto, você pode facilmente se adaptar a novas situações ou ter uma atitude progressista. Muitas vezes habilidoso e eficiente, você pode aprender rapidamente e captar as situações com a sua abordagem realista. As viagens e mudanças são parte do estilo de vida do número 5.

Como é provável que seja uma pessoa que segue o fluxo da vida, você aceita bem as mudanças e se adapta a novos ambientes com pouca resistência. Os traços negativos do número 5 são muitas vezes a inquietude, a impaciência e a falta de consistência. Sem propósito e sem perseverança, o número 5 pode vagar pela vida sem objetivos, procurando uma vocação verdadeira; assim, o melhor é não deixar as coisas ao acaso.

Profundidade de entendimento e maior conhecimento podem ajudá-lo a utilizar o seu grande potencial. Se aprender a combinar o seu pensamento rápido com os seus fortes instintos, você pode facilmente se destacar com as suas reações rápidas. Espirituoso e audacioso, você tem uma personalidade cortês e ousada.

Os desafios para o número 5 são comportamento impetuoso e errático, conduta irresponsável, impaciência, falta de consideração, rudeza e tendência a desperdiçar a própria energia.

Número 6

A dinâmica do número 6 é emocional e universal. Os atributos positivos do número 6 são idealismo, criatividade, humanitarismo, compaixão e visão. Os indivíduos número 6 são sensíveis e responsáveis, e muitas vezes julgam a vida de acordo com os próprios sentimentos.

Direto em suas reações, você espelha o seu ambiente imediato e o comportamento das pessoas. Você tanto pode ter amor à casa como ser mundano e pode se envolver com a sua comunidade. Com fortes laços familiares, você pode ser um bom pai, apoiando e animando os seus filhos. Como um indivíduo que age como conselheiro confiável e prático, você tem amigos que sempre o procuram em épocas difíceis. Muitas vezes perfeccionista, você gosta de atividades criativas ou artísticas. Com bom gosto e estilo, senso de beleza e forma, você gosta de decorar a sua casa. Se tem ideais elevados, sabe separar a realidade mundana da vida comum. No entanto, para tornar o mundo um lugar melhor, você deveria se ater aos seus ideais utópicos e tentar viver de acordo com o seu elevado padrão moral. Seria bom, todavia, aprender a superar a tendência a ser crítico e a julgar. Aprendendo a equilibrar os seus sentimentos e pensamentos, você pode criar com as suas limitações. Como uma pessoa número 6, você precisa superar a tendência a se preocupar ou a ficar frustrado. Quanto mais dá, mais recebe.

Os desafios do número 6 são insatisfação, esnobismo, falta de compaixão, criticismo excessivo, dominação e interferência na vida alheia.

Número 7

A dinâmica do número 7 é a intuição e a capacidade mental e racional. Alguns dos atributos positivos do número 7 são honestidade e confiabilidade, capacidade de discernimento, atenção aos detalhes, metodologia e engenhosidade. Analíticos e ponderados, os indivíduos de número 7 são autocentrados e reflexivos e têm habilidade para a perfeição e a precisão. A sua perspectiva autônoma indica que você também é autoconfiante e assertivo. Como prefere tomar as próprias decisões, muitas vezes aprende melhor por meio da experiência pessoal. Se tem tendência a ser excessivamente sensível e inseguro, pode se tornar distante e reservado. Quando não consegue expressar os seus sentimentos, você pode se sentir mal-interpretado.

A habilidade para diferenciar e refinar sugere que, embora possa se tornar uma pessoa que vive procurando defeitos, você pode ser excelente no aperfeiçoamento dos sistemas existentes. Você é bem-informado e meticuloso, o que significa que gosta de reunir informações e tem uma memória excelente. Você sabe analisar a si mesmo e busca uma maior autoconsciência, porque ficar sozinho é muitas vezes importante para a sua introspecção; contudo, tome o cuidado de evitar o isolamento.

O seu interesse em ler, em escrever ou em assuntos espirituais é, muitas vezes, uma fonte de inspiração e de ampliação dos seus horizontes. O desejo de obter uma maior compreensão pode incluir a educação e o mundo acadêmico ou da pesquisa em um campo especializado. Embora intuitivos, os indivíduos número 7 podem se deixar levar pelo excesso de racionalização, o que pode levá-los a se perder em detalhes. Isso, contudo, muitas vezes traz uma falta de fé ou cria uma sensação de dúvida quanto a si próprio e de insegurança. Embora tenha a tendência a ser reservado, enigmático ou retraído, você é curioso e muitas vezes faz perguntas sutis, sem deixar que ninguém saiba o que realmente pensa.

Os desafios a serem superados pelo número 7 são desconfiança, insinceridade, retraimento, ceticismo, confusão, criticismo exagerado, desapego e insensibilidade.

Número 8

A dinâmica do número 8 é emocional e de poder material. Os atributos positivos do número 8 são a força e as convicções fortes. Motivados e determinados, são trabalhadores e autoritários. A força ou o poder sugeridos pelo número 8 mostram um caráter com valores fortes, habilidade de execução e capacidade de julgamento.

Como número 8, você procura a segurança e a consistência em situações permanentes. Autoritário e desejoso de dominação e de sucesso material, o número 8 muitas vezes aspira a grandes realizações e possui uma natureza ambiciosa. Muitas vezes, assume posições de responsabilidade e liderança devido à sua dedicação e perseverança. Como uma pessoa número 8, você tem um senso natural para os negócios e irá se beneficiar muito desenvolvendo as suas habilidades organizacionais e executivas inatas. Talvez você precise aprender a delegar a sua autoridade ou a administrar de forma justa. Se estiver em posição de influência, você pode fornecer aos outros conselhos práticos e proteção. Como um indivíduo número 8, você precisa lidar com poder, paciência e tolerância, aprender a perdoar, a compreender e a considerar as fraquezas das pessoas quando fizer um julgamento. A pessoa de número 8 procura segurança por meio de planos em longo prazo e investimentos para o futuro. Em geral, você tem poder de curar a si e aos outros e se beneficia mais quando aprende a canalizar essas forças em prol das pessoas que estão à sua volta.

Os desafios colocados para o número 8 são impaciência, intolerância, excesso de trabalho, sede de poder, dominação e falta de planejamento.

Número 9

A dinâmica do número 9 é o coletivo ou o universal. Os atributos positivos do número 9 são a compaixão, a tolerância, a paciência, a integridade, a sensibilidade e o humanitarismo. Os indivíduos de número 9 são usualmente magnéticos e carismáticos, com mentes preceptivas e habilidade psíquica que apontam para uma receptividade universal.

Se o seu número holístico é 9, você é, muitas vezes, generoso e intuitivo e tem fortes premonições. Idealista e impressionável, como número 9 você muitas vezes tem visão e julga a vida de acordo com os seus sentimentos e sua receptividade. Esse senso de sabedoria profética implica que, como número 9, você possui sabedoria interior e uma elevada conscientização. Embora possa ser uma pessoa generosa e compassiva, com uma grande imaginação, você pode se iludir ou ficar emocionalmente frustrado quando percebe que as outras pessoas não correspondem às suas expectativas elevadas. Isso pode resultar em oscilações de humor ou em uma tendência para se deixar levar pelo escapismo.

Como número 9, você precisa encontrar a satisfação interior e evitar o desânimo ou a melancolia. Você também deve desenvolver a compreensão, a tolerância e a paciência, bem como aprender a exercer a impessoalidade. Além disso pode ser destinado a servir aos outros ou a contribuir para o bem-estar da humanidade. Sendo universal, você provavelmente irá se beneficiar muito de viagens pelo mundo e com a interação com outras pessoas de outros círculos sociais. A necessidade de superar os desafios e a tendência a ser excessivamente sensível indicam que você se beneficia quando mantém o equilíbrio e evita ter sonhos irreais. A combinação de inspiração e idealismo com uma vida interior intensa e sonhos vívidos sugere que você pode ser a pessoa mais feliz do mundo se procurar um caminho espiritual.

Os desafios que se colocam para o número 9 são nervosismo, egoísmo, teimosia, falta de senso prático, deixar-se levar facilmente, complexo de inferioridade e preocupação.

Como calcular o seu número pessoal anual

Para calcular o seu número pessoal para um determinado ano, simplesmente some o seu mês pessoal com o dia do seu aniversário e o ano em questão. Por exemplo, se você nasceu no dia 28 de junho de 1956 e quer saber como será o ano de 2001, simplesmente substitua o ano do seu nascimento por 2001. Por exemplo:

Substitua o ano do seu nascimento (1956) por 2001.
28 de junho de 2001 = 2 + 8 + 6 + 2 + 0 + 0 + 1 = 19
A vibração será sentida por apenas um ano, de 1° de janeiro de 2001 a 31 de dezembro de 2001.

Interpretações dos nove anos pessoais

Os números pessoais anuais têm ciclos de nove anos.As palavras-chave a seguir descrevem a qualidade da vibração de cada ano pessoal.

Ano 1

É tempo de novos começos.Você terá numerosas oportunidades para a expansão de projetos que já foram estabelecidos ou para o início de programas que têm a marca da sua própria individualidade. Embora haja a possibilidade de você vir a tomar uma nova direção, fazer as escolhas certas exige coragem e confiança. Por isso, ouça a sua voz interior e evite ser desencorajado pelos outros. Se as mudanças estão no ar, esta é a hora de agir. O auto-aperfeiçoamento é verdadeiramente importante para você e é importante que neste ano você seja independente, positivo e ambicioso; se não o for, poderá perder oportunidades que o ano número 1 tem a oferecer. Qualquer tentativa de retrocesso será negada ou é desaconselhável. Na busca para realizar os seus sonhos, evite a preguiça ou a insegurança. A experiência mais gratificante para as pessoas número 1 é criar uma nova idéia ou invenção que beneficie os outros.

Ano 2

Este é um ano de relacionamentos, cooperação e paciência. Você provavelmente irá expandir o seu círculo social e conhecerá pessoas novas. Ao desenvolver a sua capacidade de agir como um apaziguador, você aumenta as suas chances de estabelecer relacionamentos ou parcerias duradouras. Pode ser que você se depare com alguém que represente um verdadeiro desafio e o melhor é enfrentar a situação, pois, se mantiver a mente aberta e positiva, terá muito a aprender com essa pessoa.

Aprender a fazer acordos, manter o equilíbrio, ser diplomático e desenvolver a sua habilidade de comunicação são possibilidades oferecidas a você este ano.

Este é, de forma geral, um ano para o aperfeiçoamento por meio da autoconscientização. Lembre-se de que a maneira pela qual você se relaciona com as pessoas pode ensinar-lhe muitas coisas acerca de si mesmo. O ano número 2 lhe oferece a experiência de estar em boa companhia e de formar novas parcerias baseadas em sinceridade, que lhe permitirão manter a liberdade e a independência.

Ajude os outros enquanto ajuda a si mesmo.

Ano 3

Este é um ano de auto-expressão emocional mediante atividades criativas, diversão e amor. É também uma época para comemorações, e é provável que você sinta necessidade de se divertir mais. As suas energias criativas irão fluir, permitindo que se expresse mais completa e livremente. É um período em que você pode se apaixonar e o seu otimismo jovial irá ajudá-lo a satisfazer a sua necessidade de amor e alegria. Você pode também expandir o seu círculo social, mas evite a tendência ao ciúme, à preocupação, à indecisão e ao desperdício de energia. O número 3 indica também um ano de criatividade e de expansão: ter um filho, viajar por prazer, levar a arte, a música e a cultura para a sua casa, tornando-a mais agradável. Programas sociais, cinema, exibições artísticas e reuniões com os amigos na sua casa são coisas que você quer ou precisa fazer este ano.

Se quiser se expressar artisticamente, esta é uma época excelente para adotar um *hobby* ou uma atividade criativa que sempre tenha sonhado iniciar, como atuar em teatro amador, pintar, dançar, cantar ou escrever.

Tenha confiança em si mesmo, experimente novos projetos e lembre-se de se divertir. As experiências mais gratificantes que o ano número 3 tem a oferecer são o aprendizado das coisas boas da vida e a experiência do crescimento emocional.

Ano 4

Em um ano número 4, a chave é ter uma boa estrutura. Neste ano, a organização, a ordem, a paciência e a aplicação prática irão ajudá-lo a estabelecer uma base mais firme. Neste ano, você pode realizar muitas coisas e terá oportunidades para isso. A necessidade de ter uma perspectiva pragmática sugere que desafios financeiros ou materiais também podem ocorrer, especialmente se os seus recursos forem mal-administrados. Contudo, qualquer que seja a sua situação, esta é a época para fazer uma revisão nas suas finanças e nas questões legais ou ligadas a seguros, bem como fazer os arranjos necessários para que tudo fique mais simples ou eficiente.

Os anos número 4 são bons para os negócios, construção e reformas em propriedades, ou simplesmente para se mudar para um local melhor. No entanto, tome cuidado para não tomar decisões pouco práticas em relação ao seu patrimônio ou apólice de seguro, pois mais tarde você pode se arrepender. O desafio mais importante para este ano é construir uma base sólida e não se deixar levar pela rebeldia ou pela preguiça. A experiência mais gratificante pode ser a conquista de algo de que você venha a se orgulhar.

Ano 5

Este é um ano de mudanças, o que muitas vezes indica que a sua situação, profissional ou pessoal, está em processo de transformação. Oportunidades de viagem (pequenas viagens ou longas jornadas) ou de mudança de emprego podem dar vez a muita atividade. Os seus instintos são poderosos e a necessidade de mudança pode tornar-se crucial. Você pode procurar novas pessoas e novas experiências.

Espere o inesperado e surpresas agradáveis.

Em um ano número 5, é vital fazer ajustes para as mudanças. Tente manter a perspectiva e evite a impaciência, a agitação e o tédio; seja também cuidadoso para não agir no calor do momento e depois se arrepender. Esta é uma época para agir com propósito e determinação, por isso renove a sua aparência ou faça alterações na sua rotina regular para evitar a mesmice. Os elementos mais gratificantes de um ano de número 5 são as experiências de novos aprendizados, novos rostos e novos lugares, bem como saber que você pode conquistar muito em um curto período de tempo.

Ano 6

Este é um ano para assumir responsabilidades, em casa ou no mundo. Como o número 6 é universal, você precisa se interessar mais pelo mundo de modo geral, sem se restringir ao próprio meio. Esta é a época para você se estabelecer em um novo ambiente. As novas responsabilidades muitas vezes dizem respeito aos seus familiares ou à vontade de tornar a sua casa confortável e bonita. Servir aos outros, como por exemplo participar de um trabalho comunitário, faz deste ano uma época de dedicação. Contudo, se trabalhar arduamente durante este ano, você irá colher recompensas positivas posteriormente, pois as oportunidades e os ganhos inesperados vêm da ajuda que dá aos outros. Procure dispor de tempo para estar com seus amigos e entes queridos, pois, neste ano, eles podem precisar de seu apoio. Por ser uma época de incorporação da harmonia e da beleza em sua vida, o ano número 6 oferece uma boa oportunidade para fazer melhorias na sua casa e torná-la mais confortável e luxuosa.

Ano 7

Este é um ano para o auto-aperfeiçoamento, a obtenção de novos conhecimentos e o desenvolvimento mental. O desejo de ter uma nova compreensão ou aprendizado pode encabeçar a sua lista de prioridades, sugerindo que vale a pena fazer uma avaliação de sua vida, refletir acerca dos seus esforços e realizações passados e planejar o futuro. É também um bom ano para aprimorar as suas habilidades ou para dedicar-se ao estudo de um novo assunto. Novas oportunidades podem vir por meio de seu trabalho, como, por exemplo, um aprendizado que pode melhorar a sua posição profissional ou o seu desempenho. Você terá necessidade de passar mais tempo sozinho ou, se estiver sozinho, desejará conhecer novas pessoas com as quais possa compartilhar seus interesses e se comunicar com facilidade. Um livro ou artigo poderão influenciá-lo de maneira profunda ou levá-lo a compreender as coisas sob novos aspectos. Escrever, ler ou se juntar a um grupo intelectualmente estimulante podem ser experiências interessantes. Evite isolar-se do mundo ou criticar excessivamente os que estão à sua volta, pois, em um ano número 7, mal-entendidos têm mais probabilidade de ocorrer. O mais gratificante este ano será procurar alcançar uma compreensão mais profunda da vida e expressar as suas idéias de uma nova maneira.

Ano 8

Este é um ano para agir com decisão, estabelecer e atualizar todos os esforços feitos nos últimos sete anos. Se quiser ser bem-sucedido, este não é o ano para sonhar acordado — você precisará se esforçar e seguir adiante. É provável que surjam oportunidades por intermédio de promoções ou de ganhos financeiros. Planos ou investimentos feitos no passado darão frutos. Este é também um ano de trabalho árduo e de responsabilidades adicionais. Por isso, evite o excesso de trabalho.

Pode ser que você se interesse em fazer investimentos em longo prazo, como, por exemplo, comprar uma propriedade, pois sentirá a necessidade de criar raízes e controlar a sua vida ou ter segurança duradoura. Boas oportunidades de negócios poderão surgir este ano e você terá sorte. Entretanto, é essencial que saiba gerenciar as suas finanças para garantir um bom retorno. Neste ano, procure ter consideração pelos outros e desfrutar o que a vida tem a oferecer, sem querer dominar os outros ou se concentrar somente nos seus ganhos pessoais.

Ano 9

Este é o ano mais importante e espiritual do ciclo numerológico. É um ano de completude, de buscar amarrar o que está solto. Um novo ciclo ainda não nasceu, mas o anterior está se acabando. O fundamental é que no ano número 9 você colhe o que planta. Esta é também uma época para avaliar a sua posição e descartar tudo o que não é essencial. Evite agarrar-se ao passado; se você tiver superado certas situações ou mesmo pessoas, esta é a época de dizer adeus e de planejar o futuro, especialmente no final do ano.

O simbolismo universal do número 9 também indica a conquista da maturidade e a compreensão dos princípios fundamentais da vida — do ciclo de morte e renascimento, do término e do recomeço. O número 9 representa a base do movimento eterno da vida, de mudança e de continuidade. As experiências mais gratificantes para o ano de número 9 são compaixão e perdão. Os seus bons atos não serão vãos: sua caridade para com os outros irá torná-lo uma pessoa melhor e lhe dará coragem para seguir adiante.

Interpretação dos 31 dias pessoais

O número do dia pessoal corresponde ao dia do mês que você nasceu. Ele nunca muda.

Dia 1

O grande desejo de ser o primeiro e independente é sugerido pelo dia do seu aniversário. Como número 1, você tem inclinação para ser original, inovador e corajoso, além de dispor de muita energia. Muitas vezes, há a necessidade de estabelecer uma identidade marcante e de desenvolver a autoconfiança e a assertividade. O espírito pioneiro aqui indicado o encoraja a tomar as suas decisões ou a agir por conta própria, o que o estimula a desenvolver habilidades executivas ou de liderança.

Cheio de entusiasmo e de idéias originais, você freqüentemente mostra aos outros o caminho a seguir. Contudo, a necessidade de ser admirado e popular pode minar a sua confiança, e a tendência a depender dos outros pode surgir da falta de confiança. Com o dia de aniversário número 1, pode ser que você precise aprender que o mundo não gira ao seu redor e tenha de evitar o autocentramento e o autoritarismo.

A vitória e o sucesso são possíveis por meio de novas idéias ou empreendimentos.

Positivo: liderança, criatividade, progressão, vigor, otimismo, forte convicção, competitividade, independência, espírito gregário

Negativo: arrogância, ciúme, egocentrismo, orgulho, antagonismo, falta de controle, egoísmo, fraqueza, instabilidade, impaciência

Dia 2

Sensibilidade e uma grande necessidade de pertencer a um grupo são sugeridos pelo dia de aniversário número 2. Você é, na maioria das vezes, uma pessoa adaptável e compreensiva, que tem prazer em participar de atividades cooperativas, nas quais possa interagir com os outros. Receptivo e influenciado pelo seu ambiente, você possui uma personalidade amigável e calorosa, tem boas habilidades sociais e uma abordagem diplomática. O amor pela harmonia e a inclinação para trabalhar melhor com os outros podem inspirá-lo a agir como mediador em assuntos familiares ou a atuar como apaziguador. Na sua tentativa de agradar os outros, você corre o risco de se tornar excessivamente dependente. Quando desenvolve a autoconfiança, você pode superar a tendência a se magoar com facilidade com as ações e críticas alheias. Nas suas relações amorosas e sociedades, aprenda a confiar na sua intuição. Evite a inclinação à manipulação.

Positivo: boas parcerias, gentileza, tato, receptividade, intuição, consideração, harmonia, boa vontade extrema, agradável

Negativo: desconfiança, subserviência, timidez, hipersensibilidade, egoísmo, facilmente magoável, ardiloso, mentiroso

Dia 3

Necessidade de amor, criatividade e expressão emocional são indicados pelo dia de nascimento número 3. Uma pessoa que gosta de se divertir, de fácil trato e boa companhia, você gosta de atividades sociais amigáveis e tem muitos interesses. A sua versatilidade e necessidade de auto-expressão podem levá-lo a ter numerosas experiências. A sua inclinação para se entediar facilmente pode levá-lo a se tornar indeciso ou a querer abraçar o mundo com as pernas. Mas como uma pessoa com o dia de aniversário número 3, você é em geral artístico e charmoso e tem senso de humor.

Talvez seja preciso desenvolver a auto-estima e evitar a tendência a se preocupar, a sentir ciúmes e outras manifestações de insegurança emocional. As relações pessoais e uma atmosfera amorosa são de importância vital para você, pois lhe dão entusiasmo e inspiração.

Positivo: humor, felicidade, amizade, produtividade, criatividade, habilidade artística, poder de desejar, amor à liberdade, talento com as palavras

Negativo: tédio, vaidade, exagero, extravagância, auto-indulgência, preguiça, hipocrisia, preocupação, indecisão, insegurança

Dia 4

A sólida estrutura e o poder de organização sugeridos pelo dia de aniversário número 4 indicam que você, muitas vezes, precisa de estabilidade e de ordem. Dotado de energia, habilidades práticas e muita determinação, você pode ser bem-sucedido se trabalhar firmemente. Com dia de nascimento número 4, você é uma pessoa sensível à forma e à composição e é capaz de criar sistemas práticos. Preocupado com a própria segurança, você quer construir uma base sólida para si e para sua família. Confiável mas retraído, você acredita que as ações falam mais alto do que as palavras. A maneira pragmática com que encara a vida lhe confere senso para negócios e habilidade para alcançar o sucesso material na vida. Como uma pessoa número 4, você, em geral, é honesto, franco e justo. No entanto, talvez precise aprender a expressar os seus sentimentos e evitar a teimosia e a falta de tato.

Os desafios postos ao indivíduo de número 4 podem incluir a superação de períodos de instabilidade, preocupação financeira ou de crueldade.

Positivo: organização, autodisciplina, firmeza, trabalho árduo, engenhosidade, habilidade manual, pragmatismo, confiabilidade, precisão

Negativo: comportamento destrutivo, falta de comunicação, repressão, rigidez, preguiça, pãodurismo, autoritarismo, severidade

Dia 5

Fortes instintos, natureza aventureira e desejo de liberdade são indicados pelo dia de aniversário número 5. Sua disposição para explorar ou experimentar qualquer novidade e a sua abordagem animada sugerem que a vida tem muito a lhe oferecer. Viagens e muitas oportunidades de mudança, algumas inesperadas, podem levá-lo a passar por uma verdadeira transformação de pontos de vista e crenças. Com o dia de aniversário número 5, você precisa sentir que a vida é empolgante; no entanto, talvez precise desenvolver uma atitude responsável e evitar a tendência à imprevisibilidade, a excessos e à agitação.

Muitas vezes, o dia de aniversário número 5 significa que você precisa aprender a ser paciente e a prestar atenção aos pormenores. Você pode alcançar o sucesso se evitar ações precipitadas ou especulativas. O talento natural do indivíduo número 5 é saber como seguir o fluxo da vida e ser desapegado.

🅐 **Positivo**: versatilidade, capacidade de adaptação, progressão, instinto forte, magnetismo, sorte, ousadia, amor à liberdade, rapidez, inteligência, curiosidade, misticismo, sociabilidade

🅥 **Negativo**: falta de confiabilidade, instabilidade, procrastinação, inconsistência, excesso de confiança, obstinação

Dia 6

Compaixão, idealismo e natureza atenciosa são alguns dos atributos sugeridos pelo dia de aniversário número 6. Este é o número da amizade universal e indica que você, muitas vezes, é um visionário ou humanitário, que pode ser responsável, amoroso e prestativo.

Embora possa ser, em muitas ocasiões, uma pessoa mundana e voltada para a sua vida profissional, com o dia de aniversário número 6, você é uma pessoa caseira e um pai de família dedicado. As suas intensas emoções e o desejo de promover a harmonia universal muitas vezes o encorajam a trabalhar arduamente pelo que acredita, seja mediante atividades na sua comunidade ou outro tipo de trabalho voluntário.

Os tipos mais sensíveis precisam encontrar uma forma de expressão criativa e são, muitas vezes, atraídos pelo mundo das diversões, da arte ou do *design*. Entre os desafios a ser enfrentados por algumas pessoas com o dia de aniversário número 6, estão o desenvolvimento da autoconfiança e da compaixão pelos amigos e vizinhos, bem como o aprendizado da responsabilidade. Pode ser que você precise superar a tendência a interferir na vida alheia, a preocupação, a insatisfação e a solidariedade com as pessoas erradas.

🅐 **Positivo**: fraternidade universal, compaixão, confiabilidade, compreensão, solidariedade, idealismo, vida doméstica, ideais humanitários, estabilidade, talento artístico, equilíbrio

🅥 **Negativo**: ansiedade, timidez, irracionalidade, teimosia, franqueza, desarmonia, perfeccionismo, comportamento dominador, irresponsabilidade, egoísmo, desconfiança, autocentramento

Dia 7

Analíticos e ponderados, os indivíduos de número 7 são, em geral, perfeccionistas, críticos e egocêntricos. Você, na maioria das vezes, prefere tomar as próprias decisões e sempre aprende melhor com a experiência pessoal. Por sua necessidade de elevar a autoconsciência, você gosta de reunir informações e tem interesse em ler, em escrever ou em assuntos ligados à espiritualidade. O desejo de aprender pode também levá-lo ao mundo acadêmico ou ao aperfeiçoamento constante das próprias habilidades. Como um indivíduo número 7, você muitas vezes pode se deixar levar pelo excesso de racionalização ou se perder em detalhes. Em outros momentos, pode se tornar uma pessoa extremamente sensível à crítica ou se sentir incompreendido. A tendência a ser enigmático ou dissimulado muitas vezes o leva a desenvolver a arte de fazer perguntas sutis sem deixar que ninguém saiba o que você realmente está pensando. Pode ser que o indivíduo número 7 também precise evitar ser excessivamente crítico, dogmático, pouco comunicativo e arrogante.

Positivo: educação, confiabilidade, meticulosidade, idealismo, honestidade, habilidade física, orientação científica e racional, reflexão

Negativo: ilusão, tendência à solidão, dissimulação, ceticismo, confusão, distanciamento, frieza

Dia 8

A força e o poder sugeridos pelo dia de aniversário número 8 mostram uma personalidade com princípios fortes e julgamento sólido. O número 8 muitas vezes indica que você aspira a grandes realizações e possui uma natureza ambiciosa. O desejo de dominação, segurança e sucesso material também é indicado por este dia de aniversário. Como uma pessoa número 8, você tem um senso natural para negócios e irá se beneficiar muito se desenvolver as suas habilidades organizacionais e executivas. Se tiver disposição para trabalhar duro, você sempre poderá arcar com grandes responsabilidades, mas talvez precise aprender a administrar a própria autoridade ou a delegar tarefas de forma justa e imparcial. Muitas pessoas com dia de aniversário número 8 costumam se sentir atraídas por atividades ligadas à justiça, lei e ordem, ou por posições de liderança em gerenciamento administrativo, bancário e financeiro. A forte necessidade de se sentir seguro ou estabelecido pode levá-lo a fazer planos ou investimentos em longo prazo. Muitos indivíduos com o dia de aniversário número 8 também possuem um grande poder de curar a si mesmos e aos outros e podem se beneficiar se aprenderem a canalizar essas forças para o aperfeiçoamento da humanidade.

Positivo: liderança, meticulosidade, capacidade de trabalho, tradição, autoridade, proteção, poder de cura, capacidade de julgamento

Negativo: impaciência, intolerância, avareza, agitação, excesso de trabalho, sede de poder, comportamento dominador, facilidade de ser desencorajado, falta de planejamento, comportamento controlador

Dia 9

Benevolência, compaixão e sensibilidade emocional estão associadas ao dia de aniversário número 9. Criativo e gentil, você é muitas vezes considerado inteligente e generoso. Você tem intuição, habilidades psíquicas e receptividade universal que, se forem positivamente canalizadas, podem inspirá-lo a seguir o caminho espiritual. Com o dia de aniversário número 9, você usualmente sente que a sua vida já está traçada e que não há muito espaço para manobrá-la. Você talvez precise desenvolver a compreensão, a tolerância e a paciência, bem como aprender a se tornar impessoal.

Este dia de aniversário sugere uma necessidade de superar desafios e uma tendência a ser excessivamente sensível e a sofrer de instabilidade emocional. Mesmo assim, as pessoas com o dia de aniversário número 9 estão destinadas a conquistar na vida e a servir à humanidade.

É provável que você se beneficie muito de viagens pelo mundo e da interação com pessoas dos mais diversos círculos sociais. Talvez precise evitar a tendência a ter sonhos irrealistas ou a inclinação ao escapismo.

Positivo: idealismo, humanitarismo, criatividade, sensibilidade, generosidade, magnetismo, natureza poética, caridade, distanciamento, sorte, popularidade

Negativo: frustração, nervosismo, incerteza, egoísmo, falta de senso prático, amargura, falta de personalidade, complexo de inferioridade, medo, preocupação, isolamento

Dia 10

Como as pessoas de dia de aniversário número 1, você provavelmente se esforça para alcançar as suas realizações e conquistas. Não obstante, talvez precise superar diversos obstáculos antes de conquistar as suas metas. Em geral, há uma forte necessidade de estabelecer uma identidade única, e o dia de aniversário número 10 indica que você pode ser inovador, autoconfiante e ambicioso. Você pensa grande e é em geral mundano. Muitas vezes vigoroso e original, você defende as próprias crenças, mesmo quando elas são diferentes das dos outros. Às vezes, pode se sentir sozinho ou pouco popular. A sua habilidade para iniciar as coisas sozinho e o seu espírito pioneiro freqüentemente o encorajam a viajar para locais distantes ou a se aventurar por conta própria. A sua tendência a depender dos outros muitas vezes deriva da falta de confiança, do medo, ou da necessidade de ser admirado e reconhecido. Com o dia de aniversário número 10, você talvez precise aprender que o mundo não gira ao seu redor e deve evitar o egoísmo e o autoritarismo. O sucesso e a realização são importantes para todas as pessoas que têm o dia de aniversário número 10, e muitas vezes você chegará ao topo da sua profissão. Como isso muitas vezes implica o envolvimento com questões mais amplas, pode ser que você não tenha inclinação para a vida doméstica.

Positivo: liderança, criatividade, progressão, vigor, otimismo, fortes convicções, competitividade, independência, senso gregário

Negativo: arrogância, ciúme, orgulho, antagonismo, falta de controle, egoísmo, fraqueza, instabilidade, impaciência

Dia 11

A vibração especial do dia de aniversário número 11 sugere que o idealismo, a inspiração e a inovação são altamente importantes para você. Um misto de humildade e de confiança geralmente o desafia a trabalhar o próprio autocontrole, tanto material quanto espiritual. Mediante a experiência, você pode aprender a lidar com os dois lados da sua natureza e a desenvolver uma atitude menos radical, quando acredita nos próprios sentimentos. Embora tenha intuição, você pode desperdiçar as suas energias e muitas vezes precisa encontrar um objetivo sobre o qual possa concentrar a sua atenção. Usualmente, você é altamente enérgico e vigoroso, mas deve evitar se tornar excessivamente ansioso ou perder o senso prático.

Com o dia de aniversário número 11, você, na pior das hipóteses, pode ter dificuldade em separar os seus sentimentos do que deseja realizar. Na melhor, pode ter características geniais que podem gerar benefícios para as outras pessoas.

Positivo: equilíbrio, foco, objetividade, entusiasmo, inspiração, espiritualidade, idealismo, intuição, inteligência, natureza expansiva, inventividade, natureza artística, disposição para servir, habilidade de cura, humanitarismo, fé, habilidade psíquica

Negativo: complexo de superioridade, emotividade excessiva, desonestidade, falta de objetivos, facilidade para ser magoado, tensão, egoísmo, falta de clareza, dominação, mesquinhez

Dia 12

O desejo de estabelecer uma verdadeira individualidade é muitas vezes sugerido pelo dia de aniversário número 12. Em geral intuitivo, prestativo e amigável, você tem boa capacidade de raciocínio. Inovador, compreensivo e sensível, você também sabe usar o tato e métodos cooperativos para alcançar os seus objetivos e metas. Para os outros, você muitas vezes parece ser confiante, embora a dúvida quanto a si mesmo e a desconfiança possam minar a sua personalidade naturalmente expansiva e sua perspectiva positiva. Quando alcança o equilíbrio entre a necessidade de auto-expressão e a inclinação natural para apoiar as outras pessoas, você pode encontrar a satisfação emocional e a realização pessoal. No entanto, talvez precise desenvolver a autoconfiança ou aprender a não ser facilmente desencorajado pelas outras pessoas.

Positivo: criatividade, atração, iniciativa, disciplina, promoção dos outros

Negativo: reclusão, excentricidade, falta de cooperação, excesso de sensibilidade, falta de auto-estima

Dia 13

Sensibilidade, entusiasmo e inspiração são muitas vezes identificados com o dia de aniversário número 13. Numericamente, você está associado à ambição e ao trabalho árduo e pode conquistar muito por meio da auto-expressão criativa. Pode ser, contudo, que você precise desenvolver uma perspectiva pragmática, se quiser transformar os seus talentos criativos em resultado concreto. A sua abordagem original e inovadora inspira novas e excitantes idéias que, freqüentemente, resultam em trabalhos que impressionam as pessoas.

Com o dia de aniversário número 13, você é sério, romântico, charmoso e amante das diversões, e com dedicação pode prosperar na vida. As suas poderosas emoções e desejo de liberdade e de auto-expressão emocional podem ser os seus grandes trunfos. Porém, quando aprende a importância das parcerias e da cooperação, você tem mais oportunidades de compartilhar o seu grande talento com as outras pessoas. Como muitos outros que fazem aniversário no dia 13, você talvez queira viajar ou se estabelecer em um novo ambiente, em busca de uma vida melhor. Os idealistas podem escolher uma carreira no mundo do entretenimento e procurar caminhos para expressar seu talento criativo.

Positivo: ambição, criatividade, amor à liberdade, auto-expressão, iniciativa
Negativo: impulsividade, indecisão, autoritarismo, natureza pouco emotiva, rebeldia

Dia 14

Potencial intelectual, perspectiva pragmática e forte determinação são algumas das qualidades das pessoas nascidas no dia 14. Muitas vezes, você possui um forte desejo de estabelecer uma sólida base e de alcançar o sucesso por meio do trabalho árduo. De fato, com o dia de aniversário número 14, você normalmente prioriza o trabalho e julga a si próprio e aos outros tomando como base a realização profissional.

Embora você precise de estabilidade, a agitação indicada pelo número 14 impele-o a seguir adiante e a assumir novos desafios, em uma constante tentativa de aperfeiçoamento. Essa insatisfação inata também pode inspirá-lo a passar por grandes mudanças na vida, especialmente se não estiver satisfeito com sua situação profissional e com sua condição financeira. Como muitas pessoas associadas a este dia de aniversário, você pode muitas vezes chegar ao topo da sua profissão.

As características ocultas indicadas pelo dia de aniversário número 14 sugerem que você sempre será beneficiado se explorar os seus talentos criativos e se aprender a expressar os seus sentimentos mais abertamente. O amor pode, em algumas ocasiões, apresentar-se como um verdadeiro desafio, embora a sua versatilidade, senso prático e grande intuição possam atropelar a sua tendência à teimosia. Com a sua mente perceptiva, você reage rapidamente aos problemas e gosta de resolvê-los. Tendo o dia de aniversário 14, você gosta de jogos e de correr riscos, e pode ter bastante sorte.

Positivo: ações decisivas, trabalho árduo, sorte, criatividade, pragmatismo, imaginação, diligência
Negativo: cautela excessiva ou impulsividade excessiva, instabilidade, imprevidência, teimosia

Dia 15

Versatilidade, generosidade e inquietude são qualidades sugeridas pelo dia de aniversário número 15. Geralmente, você é uma pessoa rápida e animada e tem uma personalidade carismática. Os seus grandes trunfos são a sua grande intuição e a habilidade para aprender rapidamente mediante a combinação entre prática e teoria. Em muitas ocasiões, você consegue conciliar o ganho financeiro com o aprendizado de novas habilidades. Muitas vezes, você pode utilizar a sua intuição e perceber rapidamente as oportunidades que surgem. Com o aniversário número 15, você possui talento para atrair dinheiro e receber ajuda de outros. Habitualmente despreocupado e animado, você saúda o inesperado. Embora seja naturalmente aventureiro, você precisa ter uma base verdadeira, ou algum local que considere a sua verdadeira casa. Embora tenha muito vigor e ambição, às vezes você pode se tornar teimoso ou obstinado. Evite a mesmice. Se combinar as suas habilidades práticas com suas idéias originais e superar a tendência a ser agitado e a se sentir insatisfeito, você pode ser mais bem-sucedido nos seus empreendimentos.

Positivo: disposição, generosidade, responsabilidade, amabilidade, cooperação, apreço, idéias criativas

Negativo: destrutividade, agitação, irresponsabilidade, egocentrismo, medo de mudanças, perda da fé, preocupação, indecisão, materialismo, mau uso do poder

Dia 16

O dia de aniversário número 16 sugere que você é uma pessoa ambiciosa, mas emotiva, cuidadosa e amigável. O seu grande desejo de se realizar e a necessidade de conhecer o mundo podem encorajá-lo a se afastar da sua família. Muitas vezes, você julga a vida de acordo com os seus sentimentos e tem a capacidade de compreender profundamente as pessoas e as situações. Como uma personalidade de número 16, no entanto, você pode sofrer tensões interiores quando se defronta com a necessidade de conciliar a sua auto-expressão com a responsabilidade para com os outros.

Com o dia de aniversário número 16, você pode se interessar por assuntos mundanos e trabalhar em corporações internacionais ou ligadas a meios de comunicação internacionais. Mas você pode também se envolver com organizações de caridade e trabalhar em prol de causas justas. Os que são criativos podem ter talento para escrever e receber súbitos rasgos de inspiração. A inquietude interior indicada pelo dia de aniversário 16 freqüentemente indica um despertar espiritual do "eu", especialmente nos períodos de instabilidade ou de mudança. Se você fizer aniversário no dia 16, precisa aprender a equilibrar o excesso de confiança com a insegurança. Embora muitos de vocês venham de famílias unidas, sempre preferem viver sozinhos ou viajar muito.

Positivo: educação elevada, responsabilidade para com a casa e a família, intuição, sociabilidade, cooperação, discernimento

Negativo: preocupação, inabilidade para se sentir satisfeito, irresponsabilidade, autopromoção, dogmatismo, ceticismo, alvoroço, irritabilidade, egoísmo, falta de solidariedade

Dia 17

Com o dia de aniversário número 17, você é muitas vezes uma pessoa arguta, de natureza reservada e dotada de habilidade analítica. Com capacidade para pensar de forma independente, você é uma pessoa culta ou cheia de habilidades e confia em sua experiência pessoal. Usualmente, você se vale de seu conhecimento de forma específica para se desenvolver na sua especialização e tem capacidade para o sucesso material ou para ocupar uma posição proeminente, como especialista ou pesquisador. Reservado, retrospectivo e distante, com um grande interesse por fatos e números, você, em geral, tem um comportamento sério e ponderado e gosta de fazer as coisas em um ritmo próprio. Mas se desenvolver a sua capacidade de comunicação, você pode descobrir muito mais acerca de si mesmo com o auxílio das outras pessoas. Contudo, depois de optar por um curso de ação, pode ser bastante determinado e não dar ouvidos ao conselho dos outros. Freqüentemente capaz de longos períodos de concentração e de resistência, você pode aprender muito mais com a experiência. Não obstante, você pode aprender mais rapidamente se deixar o ceticismo de lado.

Positivo: ponderação, capacidade para se tornar um especialista, planejamento, aptidão para os negócios, habilidade para atrair dinheiro, pensamento independente, natureza trabalhadora, precisão, habilidade para o trabalho de pesquisa, habilidade científica

Negativo: distanciamento, solidão, teimosia, falta de cuidado, mudanças de humor, excesso de sensibilidade, estreiteza mental, criticismo, tendência à solidão, preocupação, desconfiança

Dia 18

Determinação, assertividade e ambição são alguns dos atributos associados ao dia de aniversário número 18. Dinâmico e ativo, você muitas vezes deseja o poder e precisa de desafios constantes. Muitas vezes uma pessoa capaz, trabalhadora e responsável, você alcança posições de autoridade e tem inclinação para carreiras ligadas à justiça, à organização social e ao governo. Mas o seu grande senso para os negócios e sua capacidade de organização podem levá-lo ao mundo do comércio. Com o aniversário no dia 18, você pode ser uma pessoa com tendência a discussões, uma pessoa crítica ou difícil de contentar. Há também uma inclinação ao excesso de trabalho. Por isso talvez você precise aprender a relaxar ou a diminuir o ritmo de vez em quando.

Como uma personalidade número 18, você tem poder de curar, aconselhar ou resolver problemas dos outros. Contudo, talvez precise aprender a distinguir entre o bom e mau uso do poder, aprendendo a viver com os outros.

Positivo: evolução, assertividade, intuição, coragem, resolução, capacidade de cura, eficiência, habilidade para aconselhar

Negativo: descontrole das emoções, preguiça, falta de ordem, egoísmo, insensibilidade, incapacidade de concluir trabalhos ou projetos, engano

Dia 19

Criativo, radiante, ambicioso e dinâmico, embora humanitário e sensível, com o dia de aniversário número 19, você é uma pessoa decidida e cheia de recursos. Você tem profundidade de visão, mas o lado sonhador da sua natureza é compassivo, idealista e sensível. A necessidade de se tornar alguém pode ser a força que o leva a ser uma pessoa dramática e a querer ocupar o centro das atenções. Muitas vezes, há um grande desejo de criar uma identidade individual. Contudo, para tanto, você precisa primeiro superar a influência exercida pela pressão dos outros.

Somente por meio de diversas experiências, você poderá desenvolver a sua autoconfiança e capacidade de liderança. Para os outros, você pode aparentar ser uma pessoa confiante, resistente e cheia de recursos, mas as suas tensões internas podem causar instabilidade emocional. Embora seja orgulhoso e sinta necessidade de achar que as outras pessoas apreciam os seus esforços, você precisa também aprender que o mundo não gira ao seu redor. Isso muitas vezes indica que a sua tendência a ser egoísta e arrogante deve ser superada. É provável que você precise aprender algo acerca de coragem, planejamento e estrutura, bem como a superar o medo de ficar sozinho. Criativo e carismático, você sente que o mundo está aí para ser explorado e terá mais possibilidade de ser bem-sucedido se trabalhar sozinho ou em grandes corporações.

Positivo: dinamismo, centramento, criatividade, liderança, sorte, progressão, otimismo, fortes convicções, competitividade, independência, espírito gregário

Negativo: autocentramento, depressão, preocupação, medo de rejeição, instabilidade, materialismo, egoísmo, impaciência

Dia 20

Com o dia de aniversário número 20, você é uma pessoa intuitiva, sensível, adaptável e compreensiva, e muitas vezes se vê fazendo parte de um grupo maior. Em geral, você gosta de atividades cooperativas nas quais possa interagir, compartilhar experiências ou aprender com os outros. Influenciado pelo seu ambiente, você pode ser artístico ou musical. Normalmente charmoso e gracioso, você tem habilidades diplomáticas e sociais e pode freqüentar com facilidade diversos círculos sociais. Todavia, talvez precise desenvolver a autoconfiança ou superar a tendência a ser facilmente magoado pelas atitudes e críticas alheias. Em relacionamentos e sociedades em geral, você deve evitar a inclinação a se martirizar, a ser desconfiado ou a ser excessivamente dependente dos outros. Você é um mestre quando se trata de criar uma atmosfera agradável e harmônica e pode ser chamado a atuar como mediador em assuntos familiares ou apaziguador no trabalho, onde freqüentemente assiste aos outros.

Positivo: boas parcerias, gentileza, tato, receptividade, intuição, consideração, harmonia, agradável, amigável, boa vontade extrema

Negativo: desconfiança, subserviência, timidez, excesso de sensibilidade, egoísmo, tendência a ser facilmente magoado, ilusão

Dia 21

Vigor dinâmico e personalidade expansiva estão sempre presentes nas pessoas nascidas no dia 21. Com inclinação social, você tem muitos interesses e contatos e costuma ter sorte. Geralmente, você mostra aos outros a sua personalidade gregária e amigável. Altamente original e intuitivo, você possui um espírito independente.

Se você nasceu no dia 21, pode ser amante das diversões, magnético, criativo e dotado de charme social. Mas pode ser que você seja tímido e reservado, com necessidade de desenvolver a assertividade, especialmente nas relações mais próximas.Você tem muitas oportunidades e alcança o sucesso com as outras pessoas. Embora possa ter inclinação para relacionamentos cooperativos ou para o casamento, sempre quer ser reconhecido pelos próprios talentos e habilidades. As personalidades de número 21, contudo, devem evitar ser muito egoístas ou procurar a própria identidade nos sonhos de outras pessoas. Você pode também despender muito tempo com os seus relacionamentos e, assim, acabar se tornando uma pessoa dependente.

Positivo: inspiração, criatividade, amor a uniões, relacionamentos duradouros

Negativo: dependência, nervosismo, emotivo ao extremo, falta de visão, desapontamento, medo de mudança

Dia 22

Com o dia de aniversário 22, você é uma pessoa orgulhosa, prática, disciplinada e altamente intuitiva. Este é um número mestre, que pode vibrar tanto como número 22 quanto como número 4. Muitas vezes honesto, trabalhador, com capacidade natural de liderança, você tem uma personalidade carismática e uma capacidade de compreender profundamente as pessoas e suas motivações. Embora seja reservado, você sempre mostra uma preocupação cuidadosa e protetora com o bem-estar das pessoas. No entanto, você nunca perde de vista a sua posição pragmática ou realista. Freqüentemente culto e mundano, você tem muitos amigos e admiradores. Seus atributos mais evidentes são as suas habilidades práticas e executivas. A sua personalidade direta, mas tranqüila, ajuda-o a conquistar cargos gerenciais. Os que são mais competitivos alcançam o sucesso e prosperidade com a ajuda e o encorajamento de outros. Muitas pessoas nascidas neste dia têm fortes vínculos com irmãos e irmãs e muitas vezes os apóiam e protegem.

Positivo: universalidade, intuição, pragmatismo, habilidade manual e construtora, organização, realismo, resolução de problemas, realização

Negativo: vontade de enriquecimento rápido, nervosismo, complexo de inferioridade, autoritarismo, materialismo, falta de visão, preguiça, egoísmo, autopromoção

Dia 23

Intuição, sensibilidade emocional e criatividade são alguns dos atributos do dia de aniversário 23. Você é versátil, apaixonado, tem rapidez de raciocínio, atitude profissional e mente cheia de idéias criativas. Com a influência do número 23, você pode aprender novos assuntos facilmente, mas prefere a prática à teoria. Você precisa, contudo, superar a tendência a criticar os outros e desenvolver uma atitude menos egoísta. Amante das viagens, aventuras e desejoso de conhecer novas pessoas, sua inquietude leva-o a ter diversas experiências, às quais você se adapta para tirar o melhor proveito da situação. Em geral amigável e amante das diversões, dotado de coragem e vigor, você precisa levar uma vida ativa para realizar o seu verdadeiro potencial. Embora goste de ajudar os outros, se tiver propensão à indecisão e a mudar de idéia, pode aparentar ser uma pessoa irresponsável. Algumas pessoas de número 23 podem ter diversos relacionamentos curtos antes de encontrar a felicidade e o parceiro ideal.

Positivo: lealdade, responsabilidade, viagens, comunicação, intuição, criatividade, versatilidade, confiabilidade, fama

Negativo: egoísmo, insegurança, teimosia, natureza inflexível, criticismo, ciúme, retraimento, agitação

Dia 24

Percepção, responsabilidade e empreendimento são algumas das qualidades encontradas nas pessoas nascidas no dia 24. Embora você possa não gostar da rotina, é, na maioria das vezes, uma pessoa trabalhadora, dotada de senso prático e de boa capacidade de julgamento. A sensibilidade emocional do número 24 indica que você precisa de estabilidade, lei e ordem.Você também é sensível à forma e à estrutura e pode facilmente criar um sistema complexo, mas eficiente. Muitas vezes honesto, confiável e preocupado com a própria segurança, você precisa do amor e do apoio de um parceiro e deseja construir uma sólida base para si e para sua família. Confiável e justo, mas reservado, você se inclina a acreditar que as ações falam mais alto do que as palavras. A sua maneira pragmática de encarar a vida também lhe confere aptidão para os negócios e habilidade para ser materialmente bem-sucedido na vida. Com o dia de aniversário 24, você talvez precise superar períodos de instabilidade e a tendência a ser teimoso ou a ter idéias fixas. Aprendendo a confiar na sua intuição e a desenvolver habilidades sociais, você pode adquirir autodisciplina. Você deve, no entanto, evitar se comportar de forma destrutiva, pois isso pode ser interpretado pelos outros como rudeza e materialismo. O maior desafio para o dia de aniversário número 24 é aprender a conviver com as pessoas e superar a tendência à desconfiança, bem como construir uma base segura.

Positivo: energia, idealismo, habilidades práticas, determinação, honestidade, franqueza, imparcialidade, generosidade, amor à casa, atividade

Negativo: rudeza, materialismo, avareza, aversão à rotina, preguiça, infidelidade, dominação, teimosia, vingança

Dia 25

Intuitivo e ponderado, embora rápido e vigoroso, você precisa se expressar mediante experiências diferentes, como, por exemplo, idéias, pessoas ou lugares novos e empolgantes. O desejo de perfeição associado ao dia de aniversário 25 muitas vezes leva ao trabalho árduo e à produtividade. Porém, quando as coisas não acontecem conforme o planejado, você precisa ser menos impaciente ou crítico.

A sensibilidade emocional e o talento artístico e criativo são apenas alguns dos seus atributos ocultos. Talvez você precise evitar se subestimar, pois isso pode levar à frustração ou a um comportamento destrutivo. A sua grande necessidade de ter relacionamentos pessoais próximos duradouros, amor e afeição pode ser minada pela vibração agitada do número 25. Você, em geral, é uma pessoa instintiva e alerta, que pode ampliar o seu conhecimento por meio da aplicação prática, mais do que pela teoria. Sua capacidade de julgamento e a atenção que dispensa aos detalhes garantem o seu sucesso. Talvez seja importante desenvolver uma atitude menos cética e superar a tendência a tomar decisões impulsivas. Você pode sentir-se emocionalmente tenso ou mal-humorado devido ao medo que tem de mudanças. Como número 25, você possui uma grande energia mental; quando se concentra, ela o ajuda a considerar todos os fatos e a chegar a uma conclusão mais rapidamente do que qualquer outra pessoa. O sucesso e a felicidade serão seus quando aprender a confiar na própria intuição e quando desenvolver a perseverança e a paciência.

Positivo: intuição, busca da perfeição, percepção, criatividade, habilidade em lidar com as pessoas

Negativo: impulsividade, impaciência, irresponsabilidade, emotividade excessiva, ciúme, hermetismo, criticismo, mau humor, nervosismo

Dia 26

O dia de aniversário 26, freqüentemente, sugere que você aspira a grandes realizações e possui uma natureza ambiciosa. Muitas vezes, você tem uma maneira pragmática de encarar a vida, habilidade executiva e aptidão para os negócios. A força e o poder sugeridos pelo número 26 mostram que você tem uma personalidade cautelosa, princípios e boa capacidade de julgamento. Se você nasceu no dia 26 é, normalmente, uma pessoa responsável, com senso estético inato. O amor à vida doméstica e o forte instinto paternal podem também sugerir que você tem uma grande necessidade de construir uma sólida base ou uma estabilidade genuína. Mas, devido à teimosia ou à falta de autoconfiança, você pode, às vezes, desistir muito facilmente. Não obstante, com autocontrole e planejamento cuidadoso, você pode alcançar o sucesso.

A sua inclinação para causas idealistas e humanitárias pode levá-lo a se envolver em atividades educacionais ou comunitárias. Muitas vezes, você é um manancial de força para outras pessoas, apóia os amigos e familiares que o procuram em momentos de dificuldade. Você deve, no entanto, evitar as tendências materialistas e o desejo de controlar as situações e as pessoas.

Positivo: criatividade, praticidade, cuidado, responsabilidade, orgulho da família, entusiasmo, coragem

Negativo: teimosia, rebeldia, falta de entusiasmo, falta de persistência, instabilidade, dominação

Dia 27

O dia de aniversário 27 indica que você pode ter uma maior profundidade de pensamento se desenvolver a paciência e o autocontrole. Intuitivo, mas analítico, você é muitas vezes vigoroso, determinado e observador e presta muitas atenção aos detalhes. Muitas vezes idealista e sensível, dotado de uma mente fértil e criativa, você pode impressionar os outros com os seus pensamentos e idéias originais. Embora às vezes possa aparentar ser uma pessoa reservada, racional ou distante, na verdade, você pode estar escondendo uma tensão interna, que pode se manifestar como uma tendência à impulsividade, à indecisão, à confusão ou à desconfiança em face de mudanças iminentes. Se desenvolver a sua capacidade de se comunicar, você pode superar a relutância em expressar seus sentimentos mais profundos. Muitas vezes, a inspiração é a chave para o sucesso. Quando desenvolve uma perspectiva mais universal, você consegue controlar rompantes ou evitar se preocupar com o que os outros possam pensar ou dizer. A educação e a cultura são essenciais para as pessoas nascidas no dia 27 e, com as devidas qualificações, você pode ser bem-sucedido se escrever, pesquisar ou trabalhar em grandes organizações. Naturalmente versátil e imaginativo, dotado de grande intuição ou habilidade psíquica, você pode ser uma pessoa ambiciosa e cheia de idéias. No entanto, a inquietação pode levá-lo a se comportar de forma instável e impulsiva. Talvez você precise aprender a converter as suas idéias em resultados concretos. Embora seja muitas vezes afetivo e tenha consideração pelos outros, você pode, ocasionalmente, dar a impressão de ser uma pessoa excessivamente sensível e distante. Se desenvolver uma perspectiva mais neutra, você será capaz de ouvir e de aceitar as críticas ou idéias alheias.

🅐 **Positivo**: versatilidade, imaginação, criatividade, decisão, coragem, boa compreensão, capacidade mental, espiritualidade, inventividade, força mental

🅥 **Negativo**: mau humor, facilidade de se ofender, tendência a discutir com os outros, inquietação, nervosismo, desconfiança, sentimentalismo excessivo, tensão

Dia 28

Independente, idealista e anticonvencional, embora pragmático e determinado, você é, muitas vezes, a sua própria lei. O conflito interno entre o desejo de ser independente e o de querer pertencer a um grupo também é patente. Como o indivíduo número 1, você é ambicioso, direto e empreendedor. Sempre pronto para a ação e para se lançar em novos empreendimentos, você assume corajosamente os desafios da vida e, com o seu entusiasmo, pode facilmente inspirar os outros — se não a juntar-se a você, pelo menos a apoiá-lo no seu empreendimento mais recente. Entre as suas diversas qualidades incluem-se fortes convicções, abundância de recursos, bom juízo e habilidade para acumular conhecimento e usá-lo na solução dos problemas. Com o dia de aniversário 28, você normalmente tem capacidade de liderança e confia no seu senso comum, lógica e clareza de pensamento. Embora se preocupe com o sucesso e seja ambicioso, a sua família e a vida doméstica são muito importantes para você. Encontrar a estabilidade e cuidar dos entes queridos pode às vezes ser um desafio para você. Muitas vezes, você assume responsabilidades, mas pode também se tornar uma pessoa excessivamente entusiasmada, impaciente ou intolerante. Você deve também evitar o autoritarismo, o dogmatismo ou a rebeldia.

🅐 **Positivo**: compaixão, progressão, audácia, habilidade artística, criatividade, idealismo, ambição, capacidade para o trabalho árduo, vida familiar estável, força de vontade

🅥 **Negativo**: sonhador, sem compaixão, pouco sensato, autoritarismo, mau juízo, agressividade, falta de cooperativismo, falta de confiança, dependência de outras pessoas, orgulho

Dia 29

Visionários idealistas, dotados de uma natureza vigorosa, os indivíduos número 29 possuem uma personalidade poderosa e um extraordinário potencial. Você é muitas vezes altamente intuitivo, sensível e emotivo. Sua natureza compassiva e compreensiva inspira um sentimento humanitário e pode encorajar os outros a realizar as suas esperanças e sonhos. De fato, a inspiração é a chave para o seu sucesso... sem ela você pode experimentar uma falta de sentido na vida. Embora seja um verdadeiro sonhador, com freqüência, os aspectos extremos da sua natureza indicam que você tem de se resguardar contra a instabilidade emocional. Você pode oscilar entre ser muito amigável e caloroso e ser frio e indiferente com os outros; ou pode oscilar entre o otimismo e o pessimismo. Embora quem nasce no dia 29 seja uma pessoa competitiva e ambiciosa, você tem necessidade de ser popular e se interessa pelo que os outros pensam a seu respeito. No entanto, você precisa aprender a ser menos crítico, desconfiado, tímido ou distante e a ter mais consideração com os que estão ao seu redor. Se confiar nos seus sentimentos mais íntimos e se abrir o seu coração para os outros, você pode superar a tendência a se preocupar ou a usar a sua mente como escudo protetor. Use os seus pensamentos criativos para realizar alguma coisa de especial e única, que possa inspirar ou servir aos outros.

Positivo: inspiração, equilíbrio, paz interior, generosidade, sucesso, criatividade, intuição, misticismo, sonhos poderosos, interesse pelo mundo, fé

Negativo: falta de concentração, insegurança, nervosismo, temperamental, pessoa difícil, extremismo, isolamento, sensibilidade excessiva

Dia 30

Artístico e criativo, amigável e sociável são apenas alguns dos adjetivos usados para caracterizar as pessoas que fazem aniversário no dia 30. Você gosta de levar uma vida confortável e de se socializar e pode ser excepcionalmente carismático, leal e amigável. Emotivo e ambicioso, dotado de potencial criativo, você apreende as idéias e as expande no seu próprio estilo dramático. Com temperamento estável e espírito gregário, dotado de bom gosto e talento estético, você pode ser bem-sucedido em todos os tipos de trabalho relativos à arte, ao *design* e à música. O orgulho e a ambição, combinados com boas oportunidades, muitas vezes permitem que você chegue ao topo da sua profissão. Se você nasceu no dia 30, possui sentimentos fortes: estar apaixonado ou sentir-se contente é um requisito vital. Na sua busca de felicidade, evite ser preguiçoso, excessivamente indulgente, impaciente ou invejoso, pois isso pode provocar uma instabilidade emocional. Entre as pessoas que nasceram no dia 30, muitas têm reconhecimento ou fama, especialmente os músicos, atores e comediantes, mas talvez precisem fazer ainda alguns sacrifícios pelas pessoas que amam.

Positivo: amor à diversão, lealdade, amizade, capacidade de síntese, talento com as palavras, criatividade, sorte

Negativo: preguiça, obstinação, comportamento errático, impaciência, indulgência excessiva, indiferença, indecisão, inveja

Dia 31

Forte força de vontade, determinação e ênfase na auto-expressão são indicados pelo dia de aniversário 31. Você, muitas vezes, combina a sua intuição com a capacidade prática de tomar as decisões certas. Geralmente, você é incansável e determinado e tem necessidade de progredir materialmente; contudo, talvez você precise aprender a aceitar as limitações da vida e, por isso, precise construir uma sólida base. Se você nasceu no dia 31, é uma pessoa com idéias originais, dotada de senso estético e habilidade para ser bem-sucedida nos negócios, se não se precipitar e se seguir um plano de ação prático. Boa sorte e oportunidades também são sugeridas pelo número 31, além da capacidade de transformar passatempos em empreendimentos lucrativos. Contudo, talvez você precise aprender a não se desencorajar facilmente e a ter mais consideração pelos outros. Para você, é crucial ter tempo para o amor e para as diversões, dado que tende a ser uma pessoa muito trabalhadora. No entanto, precisa evitar a tendência a ser excessivamente indulgente ou egoísta, ou ser excessivamente otimista. Os indivíduos mais fracos associados ao dia de aniversário 31 são inseguros e desistem muito facilmente dos seus sonhos ou se deixam levar pelo mundo da fantasia.

Positivo: sorte, criatividade, originalidade, capacidade para construir e ser construtivo, persistência, praticidade, capacidade de comunicação, responsabilidade

Negativo: insegurança, impaciência, desconfiança, tendência a se desencorajar facilmente, falta de ambição, egoísmo, teimosia, materialismo

Os 30 dias de AQUÁRIO

21 de janeiro a 19 de fevereiro

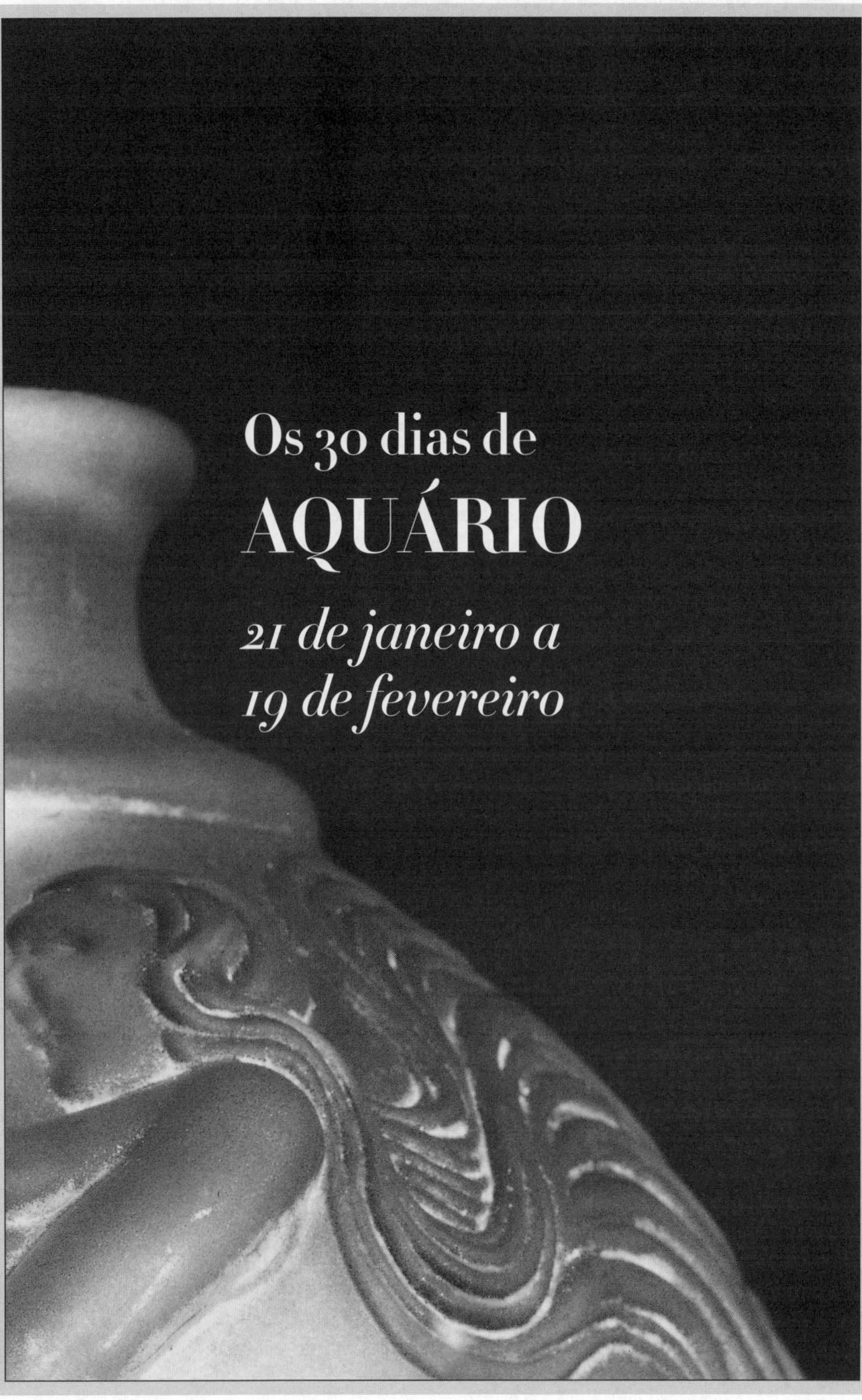

21 de Janeiro

Nascido na cúspide de Aquário e Capricórnio, você tem a vantagem de ser tanto amigável e carismático, quanto astuto e prático. Franco, honesto e dotado de fortes convicções e intelecto aguçado, você gosta de ser direto e falar o que pensa. Você aborda as coisas de modo original, gosta de aprender e pode ser uma pessoa prudente e com capacidade de discernimento. Apesar de seu estilo despreocupado, você também precisa superar a tendência à irritação, pois isto pode aliená-lo das outras pessoas.

Com a influência adicional do seu Sol no decanato de Aquário e Virgem, você pode ter pensamentos inspirados e habilidade para fazer observações aguçadas, especialmente a respeito das pessoas. Capaz de boa capacidade de compeensão, você normalmente encara o seu trabalho com seriedade. Você tem muita habilidade para solucionar problemas. Contudo, você tem uma tendência ao perfeccionismo e deve evitar ser excessivamente crítico. Liberal e humanitário, você tem independência de pensamento e está disposto a lutar contra a injustiça e a defender o direito dos outros. Muitas vezes original e com idéias à frente do seu tempo, você pode ser altamente inventivo, mas deve evitar ser muito franco e ríspido, o que pode deixar as pessoas magoadas.

SOL: CÚSPIDE DE AQUÁRIO/ CAPRICÓRNIO
DECANATO: AQUÁRIO/URANO
GRAU: 29°30' CAPRICÓRNIO -1°30' AQUÁRIO
MODO: FIXO
ELEMENTO: AR

Ainda que parte da sua natureza apenas queira paz e tranquilidade, você deseja levar uma vida boa e é isso que muitas vezes o motiva a ir para a frente. Quando se sente inspirado por uma causa ou ideal, você trabalha o dobro para conseguir o que quer. Como é confiante e cuidadoso, muitas vezes as outras pessoas o procuram em busca de apoio ou conselhos.

Até os 29 anos de idade, o seu Sol transita pelo signo de Aquário, acentuando questões ligadas à liberdade e à independência e a sua necessidade de expressar a sua individualidade. Depois dos 30 anos de idade, quando o seu Sol progredido entra no signo de Peixes, você se torna mais sensível e consciente nas questões de cunho emocional. Você pode desenvolver um senso de visão maior ou ter mais acesso ao seu mundo interior. Aos 60 anos de idade, a sua vida passa por uma outra mudança, quando o seu Sol progredido entra no signo de Áries, enfatizando a sua auto-orientação; você pode também se sentir mais confiante e assertivo. Essa influência pode inspirá-lo a começar novos projetos.

O Seu Eu Secreto

Com a sua abordagem criativa, você tem muitas idéias inspiradas. Pode ser que você queira desenvolvê-las e adquirir autoconfiança por meio de alguma forma de auto-expressão, seja arte, música, literatura ou teatro. Mas, quando usa o seu charme e sua sociabilidade, você faz muito sucesso com as pessoas. Para não desperdiçar a sua energia ou sentir-se indeciso, você precisa desenvolver a persistência e um senso de propósito mais forte.

Mesmo que tenha uma maneira de pensar desapegada e universal, você pode, ocasionalmente, sentir-se frustrado. Quando se desaponta com as pessoas, você se torna ressentido ou rebelde. Quando esquece o passado e concentra todas as suas energias mentais em objetivos positivos, você não desperdiça as suas energias. Você tem a vantagem adicional da intuição natural, o que pode ser um imenso benefício se você confiar no seu sexto sentido no tocante às pessoas e ao resultado final das situações.

Trabalho & Vocação

Como nasceu na cúspide, você tem uma aptidão prática para os negócios de Capricórnio voltada para a obtenção de prestígio e a compreensão da natureza humana de Aquário. Isso permite que você combine a sua vida profissional com a sua vida social. Dinâmico e versátil, você tem uma personalidade charmosa e habilidade para promover as suas idéias, o que o pode ajudar especialmente no mundo de vendas, de promoção ou de relações-públicas. Você pode também ser bem-sucedido nas áreas comercial ou bancária, nas quais você pode usar a sua habilidade social. Mas você tem um grande senso de justiça e pode sentir-se atraído por atividades relacionadas à defesa dos oprimidos, por meio do mundo da advocacia ou da política. O seu desejo de ampliar o seu conhecimento pode levá-lo ao mundo da educação, da filosofia ou da ciência. Criativo e talentoso, você pode também ser inspirado a trabalhar em carreiras como *design*, arte, teatro ou música.

ESTRELAS FIXAS

Altair, também chamada de Al Tair ou Águia; Albireo

ESTRELA PRIMÁRIA

Nome da estrela:
Altair, também chamada de Al Tair ou Águia

Posição:
0°47'-1°43' de Aquário, entre os anos de 1930 e 2000

Magnitude:
1

Força:
★★★★★★★★★★

Órb:
2°30'

Constelação:
Alpha Aquila

Dias:
20, 21, 22, 23 e 24 de janeiro

Qualidades da estrela:
Marte/Júpiter, Urano, Mercúrio

Descrição:
uma estrela branca e amarela, localizada no pescoço da Águia.

Numerologia

Dinamismo e personalidade expansiva estão geralmente presentes nas pessoas nascidas no dia 21. Socialmente inclinado, você tem muitos interesses e contatos felizes. Na maior parte das vezes, você exibe a sua personalidade amigável e gregária. Intuitivo, dotado de espírito independente, você é altamente original e inventivo. Com o dia de aniversário número 21, você pode ser uma pessoa magnética, criativa, com charme social e que gosta de se divertir. Mas, pode também ser tímida e reservada, com necessidade de desenvolver a assertividade especialmente nos relacionamentos mais próximos. Embora tenha inclinação a ter relacionamentos cooperativos para o casamento, você sempre quer ser reconhecido pelos seus talentos e habilidades. A subinfluência do mês número 1 indica que você é empreendedor e que tem uma perspectiva independente. Observador e inovador, você tem uma mente curiosa e muita energia, e precisa trabalhar duro para obter reconhecimento e sucesso, mesmo que normalmente seja uma pessoa ambiciosa. Você pode, às vezes, ser teimoso e tomar as próprias decisões. Quando se sente inspirado, você tem idéias originais e uma perspectiva única.

Positivo: inspiração, criatividade, uniões amorosas, relacionamentos duradouros

Negativo: dependência, nervosismo, falta de visão, medo de mudança

Amor & Relacionamentos

Carismático e idealista, você tem elevadas aspirações no que diz respeito aos seus relacionamentos. O seu talento para lidar com as pessoas indica que você sabe interagir socialmente. Embora às vezes possa ter reações exageradas, você é uma pessoa humanitária, que protege as pessoas que ama. Procure evitar que as outras pessoas tirem proveito da sua boa natureza se não deseja se desviar das suas metas. A sua forte personalidade, combinada com o seu calor humano e charme, pode ser muito atraente para as outras pessoas.

INFLUÊNCIA DA ESTRELA PRIMÁRIA

Altair confere fortes desejos, confiança, ambição, uma atitude liberal mas também uma natureza inflexível. Esta estrela indica que, embora você possa ser radical, a sua originalidade, sua excentricidade e suas idéias inventivas muitas vezes contrabalançam os seus deslizes. Altair também confere súbitos golpes de fortuna ou sucesso por meio de novas invenções e adverte que a instabilidade pode colocar em risco posições de autoridade.

Ligada ao grau do seu Sol, esta estrela concede originalidade, popularidade e tendências aventureiras. Altair também o leva a buscar o conhecimento e revela talento para escrever e para a educação. Muitas vezes ambicioso e ousado, você deseja mudar a sua sorte e pode ter ganhos e outros benefícios inesperados. Interessado por atividades em grupo, você sabe fazer amigos e influenciar as pessoas.

Positivo: original, inventivo, individualista, humanitário, criativo

Negativo: rebelde, antagônico, imprevisível

Consulte o Apêndice para obter mais informações acerca das estrelas fixas.

ALGUÉM ESPECIAL

Você pode encontrar o parceiro certo mais facilmente entre as pessoas nascidas nas seguintes datas:

Amor & amizade: jan: 5, 9, 18, 19, 23; fev: 3, 7, 16, 17; mar: 1, 5, 14, 15, 31; abr: 3, 12, 13, 29; mai: 1, 10, 11, 15, 27, 29; jun: 8, 9, 25, 27; jul: 6, 7, 23, 25, 31; ago: 4, 5, 21, 23, 29; set: 2, 3, 7, 19, 21, 27, 30; out: 1, 17, 19, 25, 28; nov: 13, 15, 21, 24; dez: 13, 15, 21, 24

Relacionamentos benéficos: jan: 1, 6, 17; fev: 4, 15; mar: 2, 13; abr: 11, 30; mai: 9, 28; jun: 7; jul: 5; ago: 3, 22; set: 1; out: 31; nov: 29; dez: 27

Atrações fatais: jul: 22, 23, 24, 25

Relacionamentos desafiantes: jan: 2, 16; fev: 14; mar: 12; abr: 10; mai: 8; jun: 6; jul: 4; ago: 2; dez: 30

Alma gêmea: jan: 11, 31; fev: 9, 29; mar: 7, 27; abr: 5, 25; mai: 3, 23; jun: 1, 21; jul: 19; ago: 17; set: 15; out: 13; nov: 11; dez: 9

22 de Janeiro

Inteligente e instintivo, você é um aquariano ativo mas sensível, e que gosta de mudanças. Como não gosta de rotinas, a variedade ou as viagens têm um importante papel na sua vida e há a possibilidade de você vir a trabalhar ou morar no exterior. Honesto e direto, você tem um senso aguçado para os negócios e poder de visão. Você sabe como as impressões são importantes e quer apresentar uma boa imagem para os outros. Contudo, para conter a sua inquietude interior, você precisa se concentrar e desenvolver a paciência e a perseverança.

Com a influência adicional do seu Sol no decanato de Aquário, você é amigável, expansivo e gosta de estar com outras pessoas. A sua natureza também tem um lado pouco convencional ou excêntrico. Com uma mente objetiva e inventiva, você pode ter *flashes* geniais e é capaz de julgar rapidamente o caráter das pessoas. A sua perspectiva individual pode fazer com que esteja à frente do seu tempo, mas se radicalizar você pode tornar-se rebelde, do contra ou teimoso.

SOL: AQUÁRIO
DECANATO: AQUÁRIO/URANO
GRAU: 1°-2° AQUÁRIO
MODO: FIXO
ELEMENTO: AR

Você é um idealista prático e tem habilidade e autodisciplina para trabalhar duro para transformar os seus sonhos em realidade. Ocasionalmente, você pode sentir-se tentado a tomar o caminho dos resultados fáceis em vez de construir lentamente o seu futuro. Para evitar uma possível ansiedade quanto à instabilidade financeira, é aconselhável que você economize e faça investimentos de longo prazo.

Até os 28 anos de idade, o seu Sol transita pelo signo de Aquário, acentuando questões ligadas à liberdade e à amizade e a necessidade de expressar a sua individualidade. Depois dos 29 anos de idade, quando o seu Sol progredido entra no signo de Peixes, você se torna emocionalmente mais consciente, desenvolve um maior senso de visão e passa a ter mais conexão com o seu mundo interior. Aos 59 anos de idade, a sua vida passa por uma outra mudança, quando o seu Sol progredido entra no signo de Áries. Essa influência faz com que você fique mais confiante, assertivo e ambicioso e é possível que dê início a novos empreendimentos ou atividades.

O Seu Eu Secreto

Você aprende rapidamente e precisa encontrar vias de canalização da sua criatividade interior. Por meio da auto-expressão e da defesa das suas decisões, você pode aprender a eliminar a preocupação ou a dúvida quanto a si mesmo. Versátil e adaptável, você tem grande capacidade de concentração quando se decide por um determinado objetivo. Ainda que tenha muito senso prático, você possui uma visão sensível que o pode ajudar a realizar os seus grandes sonhos.

Generoso e liberal, você tem uma perspectiva universal. Como é amigável, você atrai as pessoas e pode ser popular, o que amplia a sua capacidade de liderança e sugere que você não gosta de ocupar posições subservientes. Apesar de seu senso natural para os negócios, tome cuidado para que o excesso de preocupação com questões materiais não limite o seu maravilhoso potencial humanitário.

Trabalho & Vocação

Trabalhador e ambicioso, você, no entanto, gosta de variedade, o que indica uma carreira que envolva mudanças rápidas e não requeira uma rotina previsível. As ocupações que envolvem viagens podem ser adequadas ao seu espírito aventureiro. Você precisa de trabalhos práticos que satisfaçam o seu idealismo. Se estiver envolvido no mundo dos negócios, você pode usar a sua habilidade visionária para projetar o futuro e vender suas idéias aos outros. Qualquer que seja a carreira escolhida, você tem necessidade de ação. Mas você pode usar a sua sensibilidade e sua imaginação no mundo das artes, da música ou da cura.

ESTRELAS FIXAS

Altair, também chamada de Al Tair ou Águia; Albireo

ESTRELA PRIMÁRIA

Nome da estrela:
Altair, também chamada de Al Tair ou Águia

Posição:
0°47'-1°43' de Aquário, entre os anos de 1930 e 2000

Magnitude:
1

Força:
★★★★★★★★★★

Órb:
2°30'

Constelação:
Alpha Aquila

Dias:
20, 21, 22, 23 e 24 de janeiro

Qualidades da estrela:
Marte/Júpiter, Urano, Mercúrio

Descrição:
uma estrela branca e amarela, localizada no pescoço da Águia.

Numerologia

Este é um número mestre e pode vibrar tanto como número 22 quanto como número 4. Muitas vezes honesto e trabalhador, dotado de capacidade natural de liderança, você tem uma personalidade carismática e uma profunda capacidade de compreender as pessoas e as suas motivações. Você é reservado, mas sempre se preocupa com o bem-estar dos outros e nunca perde de vista a sua posição pragmática ou realista. Em geral uma pessoa culta e mundana, você tem muitos amigos e admiradores. Os que são mais competitivos podem ser bem-sucedidos com a ajuda e o encorajamento dos outros. A subinfluência do mês número 1 indica que você é ambicioso, empreendedor e que tem uma perspectiva independente. Embora seja determinado e deseje ter estabilidade e segurança, você tem uma inquietude que indica uma necessidade de ter liberdade para ter muitas experiências e oportunidades sem sentir-se restringido. Mentalmente agudo e intuitivo, você gosta de tomar as próprias decisões. Você é uma pessoa humanitária, que tem uma visão realista da vida e, com a sua força, pode dar o seu apoio a quem precisa.

- **Positivo**: universalidade, direção, intuição elevada, pragmatismo, praticidade, habilidade com as mãos, construtividade, capacidade de organização, capacidade de resolução de problemas, realização
- **Negativo**: nervosismo, complexo de inferioridade, autoritarismo, materialismo, falta de visão, preguiça, egotismo

Amor & Relacionamentos

Com a sua grande habilidade social, você normalmente tem muitos amigos e admiradores. Receptivo e amigável, você tem necessidade de estímulo mental e busca a companhia de pessoas inteligentes. Para ter paz e harmonia, você muitas vezes está disposto a fazer concessões ou sacrifícios. Você considera a amizade e gosta de se dar com pessoas que o inspirem a ser aventureiro e o divirtam. Você se sente bem quando está com as pessoas que ama.

INFLUÊNCIA DA ESTRELA PRIMÁRIA

Altair confere fortes desejos, confiança, ambição, uma atitude liberal mas também uma natureza inflexível. Esta estrela indica que, embora você possa ser radical, a sua originalidade, sua excentricidade e suas idéias inventivas muitas vezes contrabalançam os seus deslizes. Altair também confere súbitos golpes de fortuna ou sucesso por meio de novas invenções e adverte que a instabilidade pode colocar em risco posições de autoridade.

Ligada ao grau do seu Sol, esta estrela concede originalidade, popularidade e tendências aventureiras. Altair também o leva a buscar o conhecimento e revela talento para escrever e para a educação. Muitas vezes ambicioso e ousado, você deseja mudar a sua sorte e pode ter ganhos e outros benefícios inesperados. Interessado por atividades em grupo, você sabe fazer amigos e influenciar as pessoas.

- **Positivo**: original, inventivo, individualista, humanitário, criativo
- **Negativo**: rebelde, antagônico, imprevisível

Consulte o Apêndice para obter mais informações a respeito das estrelas fixas.

ALGUÉM ESPECIAL

Para o amor e a felicidade, você pode ter mais sucesso com as pessoas nascidas nas seguintes datas:

Amor & amizade: jan: 6, 10, 20, 24, 29; fev: 4, 8, 18, 27; mar: 2, 6, 16, 25, 28, 30; abr: 4, 14, 23, 26, 27, 28, 30; mai: 2, 12, 21, 24, 26, 28, 30; jun: 10, 19, 22, 24, 26, 28; jul: 8, 17, 20, 22, 24, 26; ago: 6, 15, 18, 20, 22, 24, 30; set: 4, 13, 16, 17, 18, 20, 22; out: 2, 11, 14, 16, 18, 20; nov: 9, 12, 14, 16, 18; dez: 7, 10, 12, 14, 16

Relacionamentos benéficos: jan: 7, 13, 18, 28; fev: 5, 11, 16, 26; mar: 3, 9, 14, 24; abr: 1, 7, 12, 22; mai: 5, 10, 20; jun: 3, 8, 18; jul: 1, 6, 16; ago: 4, 14; set: 2, 12, 30; out: 10, 28; nov: 8, 26, 30; dez: 6, 24, 28

Atrações fatais: jan: 25; fev: 23; mar: 21; abr: 19; mai: 17; jun: 15; jul: 13, 22, 23, 24, 25, 26; ago: 11; set: 9; out: 7; nov: 5; dez: 3

Relacionamentos desafiantes: jan: 3, 17; fev: 1, 15; mar: 13; abr: 11; mai: 9, 30; jun: 7, 28; jul: 5, 26, 29; ago: 3, 24, 27; set: 1, 22, 25; out: 20, 23; nov: 18, 21; dez: 16, 19

Alma gêmea: jan: 18; fev: 16; mar: 14; abr: 12; mai: 10, 29; jun: 8, 27; jul: 6, 25; ago: 4, 23; set: 2, 21; out: 19; nov: 17; dez: 15

23 de Janeiro

Intuitivo mas prático, você é um aquariano trabalhador que tem uma profunda compreensão das pessoas. Como prefere ser metódico e organizado, você quer construir uma base sólida para o que deseja realizar na vida. Apesar de pragmático, você pode também ser sensível e ter uma imaginação fértil.

Com a influência adicional do seu Sol no decanato de Aquário, você tem uma mente inventiva especialmente no que diz respeito à resolução de problemas. Sociável e amigável, você precisa de pessoas e gosta de apresentar uma boa imagem. Você tem uma compreensão instintiva do caráter e da motivação das pessoas, o que pode lhe dar fortes tendências humanitárias. Com o seu grande potencial mental, você pode ter momentos de elevada inspiração ou intuição, mas deve também superar a tendência a ser teimoso ou obstinado.

SOL: AQUÁRIO
DECANATO: AQUÁRIO/URANO
GRAU: 2°-3° AQUÁRIO
MODO: FIXO
ELEMENTO: AR

Honesto e direto, você tem um charme magnético que o pode livrar de muitas situações difíceis e exercer uma atração sobre as outras pessoas. Mesmo que seja sociável, você é um tanto reservado, o que sugere uma propensão para reprimir ou inibir as suas emoções. Normalmente econômico, você dá muita importância ao seu trabalho. Como é um idealista prático, você precisa apenas se esforçar diligente e concentradamente para tirar proveito do seu potencial especial.

Até os 27 anos de idade, o seu Sol transita pelo signo de Aquário, acentuando questões ligadas à liberdade pessoal, à amizade e à necessidade de expressar a sua individualidade. Depois dos 28 anos de idade, quando o seu Sol progredido entra no signo de Peixes, você se torna emocionalmente mais sensível e receptivo, e as impressões psíquicas de outras pessoas se fortalecem. Aos 58 anos de idade, a sua vida passa por uma outra mudança, quando o seu Sol progredido entra no signo de Áries. Essa influência lhe dá uma maior auto-orientação e necessidade de ter novas atividades, pois você passa a se sentir mais confiante e assertivo.

O Seu Eu Secreto

Ainda que seja trabalhador e responsável, você também precisa de variedade e mudanças, pois pode se sentir impaciente e inquieto. Você quer ter ordem e estrutura na sua vida, mas também deseja liberdade e detesta ser reprimido. Esses lados contrastantes da sua personalidade sugerem que você precisa romper periodicamente com a sua rotina e ser um pouco mais aventureiro. Isso pode também inspirá-lo a ter uma produtividade mais dinâmica.

Com os seus elevados ideais, sonhos e poder emocional, você possui uma grande necessidade interior de amor, afeição e auto-expressão. No caso de se sentir obstruído, você pode ficar susceptível ao mau humor ou ao escapismo. Com paciência, você pode desfrutar o desafio de buscar dentro de si a harmonia que deseja. Como é um visionário, você tem muito a oferecer às pessoas com o seu poder de visão e sua compreensão sensível profunda.

Trabalho & Vocação

A sua mente inventiva precisa ser constantemente estimulada e com a sua habilidade para lidar com as pessoas você pode se sentir feliz em carreiras que envolvam o trato com o público. O lado mais prático da sua natureza pode sentir-se atraído pelo mundo dos negócios, enquanto as suas inclinações humanitárias se voltam para atividades ligadas a algum tipo de aconselhamento ou reforma social. A sua abordagem prática e responsável garante que os seus chefes percebem e respeitam os seus talentos. Apesar de ser organizado e metódico, você não gosta de trabalhos entediantes. Você pode usar a habilidade que tem com as mãos de alguma forma prática. Se desenvolver a sua criatividade interior, você, invariavelmente, quer se expressar de forma original.

Numerologia

Intuição, sensibilidade emocional e criatividade são alguns dos atributos do dia de aniversário número 23. Você, em geral, é uma pessoa versátil e que tem um pensamento rápido, possui uma atitude profissional e uma mente cheia de idéias inventivas. Com a influência do número 23, você pode aprender novos assuntos facilmente, mas prefere a prática à teoria. Você gosta de viagens, aventuras e de conhecer pessoas novas, e a inquietude indicada pelo número 23 o impele a ter muitos tipos diferentes de experiências e faz com que você seja adaptável a ponto de extrair o melhor de cada situação. Na maior parte das vezes amigável e divertido, você tem coragem e vigor, e precisa levar uma vida ativa para desenvolver ao máximo o seu verdadeiro potencial. A subinfluência do mês número 1 indica que você é autônomo, entusiástico e original. Embora tenha uma perspectiva independente e progressista, você pode se beneficiar muito de atividades cooperativas. Quando cria uma atmosfera harmoniosa, você é capaz de relaxar de ter paz interior. Contudo, você precisa superar a tendência a ser teimoso ou inflexível no que diz respeito aos seus interesses emocionais.

Positivo: leal, responsável, viagens, comunicativo, intuitivo, criativo, versátil, confiável, fama

Negativo: egoísta, inseguro, teimoso, crítico, reservado, preconceituoso

ESTRELAS FIXAS

Altair, também chamada de Al Tair ou Águia; Albireo; Dabih; Giedi, também chamada de Al Jady

ESTRELA PRIMÁRIA

Nome da estrela:
Altair, também chamada de Al Tair ou Águia

Posição:
0°47'-1°43' de Aquário, entre os anos de 1930 e 2000

Magnitude:
1

Força:
★★★★★★★★★★

Órb:
2°30'

Constelação:
Alpha Aquila

Dias:
20, 21, 22, 23 e 24 de janeiro

Qualidades da estrela:
Marte/Júpiter, Urano, Mercúrio

Descrição:
uma estrela branca e amarela, localizada no pescoço da Águia.

Amor & Relacionamentos

Amigável e receptivo, você é uma pessoa com valores humanitários e com capacidade de compreender as pessoas. Você tem necessidade de variedade e uma tendência a sentir-se inquieto, o que indica que se beneficia com a companhia de pessoas mentalmente estimulantes que o mantenham interessado por idéias novas e progressistas. Como tem muito amor para dar, você também se beneficia quando encontra a pessoa certa, aquela que pode apreciar a sua sensibilidade. Você precisa encontrar um meio de canalizar a sua criatividade e evitar uma possível instabilidade de humor. Mesmo se na maior parte das vezes é leal com as pessoas com quem se relaciona, você precisa de liberdade.

INFLUÊNCIA DA ESTRELA PRIMÁRIA

Altair confere fortes desejos, confiança, ambição, uma atitude liberal mas também uma natureza inflexível. Esta estrela indica que, embora você possa ser radical, a sua originalidade, sua excentricidade e suas idéias inventivas muitas vezes contrabalançam os seus deslizes. Altair também confere súbitos golpes de fortuna ou sucesso por meio de novas invenções e adverte que a instabilidade pode colocar em risco posições de autoridade.

Ligada ao grau do seu Sol, esta estrela concede originalidade, popularidade e tendências aventureiras. Altair também o leva a buscar o conhecimento e revela talento para escrever e para a educação. Muitas vezes ambicioso e ousado, você deseja mudar a sua sorte e pode ter ganhos e outros benefícios inesperados. Interessado por atividades em grupo, você sabe fazer amigos e influenciar as pessoas.

- **Positivo**: original, inventivo, individualista, humanitário, criativo
- **Negativo**: rebelde, antagônico, imprevisível

Consulte o Apêndice para obter mais informações a respeito das estrelas fixas.

ALGUÉM ESPECIAL

Para o amor, a devoção e a felicidade, você pode ter mais sucesso com as pessoas nascidas nas seguintes datas:

Amor & amizade: jan: 7, 11, 12, 22, 25; fev: 5, 9, 20; mar: 3, 7, 18, 31; abr: 1, 5, 16, 29; mai: 3, 4, 14, 17, 27, 29; jun: 1, 12, 25, 27; jul: 10, 23, 25; ago: 8, 21, 23, 31; set: 6, 9, 19, 21, 29; out: 4, 17, 19, 27, 30; nov: 2, 15, 17, 25, 28; dez: 13, 15, 23, 26

Relacionamentos benéficos: jan: 8, 14, 19, 30; fev: 6, 12, 17; mar: 4, 10, 15; abr: 2, 8, 13, 24; mai: 6, 11; jun: 4, 9; jul: 2, 7; ago: 5; set: 3; out: 1, 29; nov: 27; dez: 25, 29

Atrações fatais: jul: 24, 25, 26, 27

Relacionamentos desafiantes: jan: 9, 18, 20; fev: 6, 16, 18; mar: 5, 14, 16; abr: 3, 12, 14; mai: 1, 10, 12; jun: 8, 10; jul: 6, 8, 29; ago: 4, 6, 27; set: 2, 4, 25; out: 2, 23; nov: 21; dez: 19

Alma gêmea: jan: 9; fev: 7; mar: 5; abr: 3; mai: 1; out: 30; nov: 28; dez: 26

24 de Janeiro

Você é um aquariano amigável e criativo, dotado de uma personalidade despreocupada e de uma maneira original de encarar a vida. Ambicioso e habilidoso, você possui um senso natural para os negócios e um desejo de harmonia. Você se interessa pelas pessoas e tem natureza humanitária, o que sugere que interage bem com qualquer círculo social. Você possui diversos interesses e, por isso, pode ter dificuldade em tomar decisões. Porém, as suas idéias inspiradas e seu pensamento objetivo podem ajudá-lo a superar a tendência à preocupação, especialmente no tocante às suas finanças. O seu excelente potencial mental e seu desejo de se expressar sugerem que você é capaz de realizações extraordinárias.

Devido à influência adicional do seu Sol no decanato de Aquário, você é amigável, expansivo e sociável. Ainda que pareça ser uma pessoa agradável e leve, você abriga dentro de si uma certa seriedade e capacidade de discernimento, características que podem levá-lo a se interessar pelo estudo da Filosofia ou serem usadas para a resolução de problemas. Com as suas idéias originais, você muitas vezes está à frente do seu tempo e pode ser uma pessoa espirituosa e divertida. Como é independente, a liberdade é importante para você, mas evite tornar-se muito voluntarioso.

SOL: AQUÁRIO
DECANATO: AQUÁRIO/URANO
GRAU: 3°-4° AQUÁRIO
MODO: FIXO
ELEMENTO: AR

Na maior parte das vezes uma pessoa trabalhadora, você pode ser criterioso e prático. Você também gosta de barganhas e é uma pessoa franca, que vai direto ao cerne da questão, além de ter a habilidade de usar a sua capacidade de comunicação para ser bem-sucedido.

Até os 26 anos de idade, o seu Sol transita pelo signo de Aquário, acentuando questões ligadas à liberdade, à amizade e à independência. Depois dos 27 anos de idade, quando o seu Sol progredido entra no signo de Peixes, você se torna mais sensível e consciente das questões de cunho emocional. Aos 57 anos de idade, a sua vida passa por uma outra mudança, quando o seu Sol progredido entra no signo de Áries. Essa influência traz a oportunidade de novos inícios na sua vida, pois você se sente mais confiante, assertivo e ousado.

O Seu Eu Secreto

O seu desejo interior de amor, afeição e harmonia pode se manifestar por meio de atividades criativas ou de um grande amor pela vida doméstica e familiar. Você pode ter uma atitude protetora em relação às pessoas à sua volta, o que pode fazer com que se torne crítico ou assuma os problemas delas como seus. Quando combina a sua compaixão com o seu humanitarismo natural, você pode buscar o sentido mais profundo da vida, ajudar as outras pessoas ou apoiar uma causa idealista.

Multitalentoso, você tem qualidade únicas e um toque genial que pode impressionar as outras pessoas. Embora deseje se expressar, a sua preocupação em relação ao dinheiro e à segurança sugere uma ênfase materialista que o pode impedir de se arriscar na vida. Você possui uma capacidade natural de liderança e um espírito de luta que sugerem que não fica muito tempo em uma situação pouco satisfatória.

Trabalho & Vocação

Com as suas idéias originais, inteligência aguçada e maneira individual de encarar a vida, você pode ser bem-sucedido em qualquer carreira profissional especialmente as que envolvem comunicação. Você gosta de trabalhar de maneira consistente, sempre melhorando a sua atuação. Você, na maior parte das vezes, é astuto e tem sucesso nos negócios. Você também pode usar a sua mente aguçada em atividades de pesquisa ou que envolvam a resolução de problemas. O seu grande desejo de se expressar pode trazer-lhe o sucesso no mundo da literatura, da música e do entretenimento. Você se sente atraído por carreiras que envolvam o trato com o público, mas também tem a capacidade de pensar profundamente e pode se interessar por Filosofia, Religião e Advocacia. Com o seu desejo de se expandir e compartilhar o seu conhecimento, você pode se interessar por atividades de cunho social ou educacional.

ESTRELAS FIXAS

Altair, também chamada de Al Tair ou Águia; Albireo; Dabih; Giedi, também chamada de Al Jady; Oculus

ESTRELA PRIMÁRIA

Nome da estrela:
Altair, também chamada de Al Tair ou Águia
Posição:
0°47'-1°43' de Aquário, entre os anos de 1930 e 2000
Magnitude:
1
Força:
★★★★★★★★★★
Órb:
2°30'
Constelação:
Alpha Aquila
Dias:
20, 21, 22, 23 e 24 de janeiro
Qualidades da estrela:
Marte/Júpiter, Urano, Mercúrio
Descrição:
uma estrela branca e amarela, localizada no pescoço da Águia.

Numerologia

Com o dia de aniversário número 24, você tem aversão à rotina; entretanto, você é uma pessoa trabalhadora, dotada de habilidades práticas e de boa capacidade de julgamento. A sensibilidade emocional do dia de aniversário número 24 sugere que você precisa de estabilidade e ordem. Leal e justo, ainda que algumas vezes retraído, você tem inclinação a acreditar que as ações falam mais alto do que as palavras. Com essa maneira pragmática de encarar a vida, você pode desenvolver um bom senso para os negócios e a habilidade para superar os obstáculos e ser bem-sucedido. Como uma pessoa número 24, você precisa superar a tendência a ser teimoso ou a ter idéias fixas. A subinfluência do mês número 1 indica que você é independente e idealista. Como é uma pessoa séria, você gosta de usar os seus pensamentos criativos de forma prática. Você tem um pensamento progressista e se interessa por questões de natureza humanitária e pela vida pública, em especial pelas atividades ligadas à educação e à política. Inovador e corajoso, você fala o que pensa, mas geralmente o faz de modo charmoso. O espírito empreendedor aqui indicado o encoraja a ter diferentes tipos de experiência e a formar as próprias opiniões.

Positivo: energia, idealismo, habilidades práticas, forte determinação, honestidade, franqueza, justiça, generosidade, amor à casa, atividade, vigor

Negativo: materialismo, economia, aversão à rotina, preguiça, falta de confiabilidade, dominação, teimosia

Amor & Relacionamentos

Individualista e sensível, você precisa de tempo e espaço para si mesmo. Como é uma pessoa idealista, você pode ter expectativas elevadas às quais às vezes ninguém pode corresponder. Apesar de amoroso e espontâneo, você também é capaz de ser frio e distante. Como pode ser uma pessoa generosa, tome cuidado para não se sacrificar demais e depois vir a se arrepender. Você é uma pessoa amigável, que atrai os outros e se sai especialmente bem em situações de grupo.

INFLUÊNCIA DA ESTRELA PRIMÁRIA

Altair confere fortes desejos, confiança, ambição, uma atitude liberal mas também uma natureza inflexível. Esta estrela indica que, embora você possa ser radical, a sua originalidade, sua excentricidade e suas idéias inventivas muitas vezes contrabalançam os seus deslizes. Altair também confere súbitos golpes de fortuna ou sucesso por meio de novas invenções e adverte que a instabilidade pode colocar em risco posições de autoridade.
Ligada ao grau do seu Sol, esta estrela concede originalidade, popularidade e tendências aventureiras. Altair também o leva a buscar o conhecimento e revela talento para escrever e para a educação. Muitas vezes ambicioso e ousado, você deseja mudar a sua sorte e pode ter ganhos e outros benefícios inesperados. Interessado por atividades em grupo, você sabe fazer amigos e influenciar as pessoas.

Positivo: original, inventivo, individualista, humanitário, criativo
Negativo: rebelde, antagônico, imprevisível

Consulte o Apêndice para obter mais informações a respeito das estrelas fixas.

ALGUÉM ESPECIAL

Você pode encontrar a sua realização emocional e aquele alguém especial entre as pessoas nascidas nas seguintes datas:

Amor & amizade: jan: 4, 8, 13, 22, 26; fev: 2, 6, 20, 24; mar: 4, 18, 22; abr: 2, 16, 20, 30; mai: 5, 14, 18, 28, 30; jun: 3, 12, 16, 26, 28; jul: 10, 14, 24, 26; ago: 8, 12, 22, 24; set: 6, 10, 20, 22, 30; out: 4, 8, 18, 20, 28; nov: 2, 6, 16, 18, 26; dez: 4, 14, 16, 24

Relacionamentos benéficos: jan: 9, 20; fev: 7, 18; mar: 5, 16, 29; abr: 3, 14, 27; mai: 1, 12, 25, 31; jun: 10, 23; jul: 8, 21; ago: 6, 19, 25; set: 4, 17, 23; out: 2, 15, 30; nov: 13, 28; dez: 11, 26, 30

Atrações fatais: jan: 27; fev: 25; mar: 23; abr: 21; mai: 19; jun: 17; jul: 15, 24, 25, 26, 27, 28; ago: 13; set: 11; out: 9; nov: 7; dez: 5

Relacionamentos desafiantes: jan: 2, 10, 19; fev: 8, 17; mar: 6, 15; abr: 4, 13; mai: 2, 11; jun: 9; jul: 7, 30; ago: 5, 28; set: 3, 26; out: 1, 24; nov: 22; dez: 20, 30

Alma gêmea: jan: 15; fev: 13; mar: 11; abr: 9; mai: 7; jun: 5; jul: 3; ago: 1; out: 29; nov: 27; dez: 25

25 de Janeiro

Amigável e generoso, você é um aquariano ativo e inteligente que tem um espírito de sucesso. Astuto e alerta, você pode ser trabalhador e disciplinado. Como é uma pessoa determinada e tem habilidade estratégica, você pode concentrar a sua energia para alcançar os seus objetivos. O seu senso inato para os negócios o ajuda a comercializar os seus talentos, mas o seu idealismo natural pode também levá-lo a se envolver em atividades ou projetos voltados para a ajuda ao próximo.

Devido à influência adicional do seu Sol no decanato de Aquário, você tem astúcia para julgar o caráter das pessoas e uma grande compreensão das suas motivações. Liberal e humanitário, você tem independência de pensamento e idéias originais e inventivas. A amizade é especialmente importante para você e, como é uma pessoa amigável e sociável, sabe como fazer novos contatos. Com as suas reações rápidas e um grande senso de individualidade, você raramente é uma pessoa chata, mas deve evitar a tendência a ser precipitado.

SOL: AQUÁRIO
DECANATO: AQUÁRIO/URANO
GRAU: 4°-5° AQUÁRIO
MODO: FIXO
ELEMENTO: AR

A sua natureza tem dois lados distintos: de um lado, você pode ser uma pessoa extremamente determinada, voltada para os negócios e assertiva, e, de outro, pode ser compassivo, sensível e visionário. Quando aprende a manter um equilíbrio entre essas duas tendências, você é capaz de combinar criativamente essas características e de expressar os seus sonhos e ideais. Em algumas ocasiões, as outras pessoas podem interpretar a sua natureza desapegada como frieza ou indiferença, mas a sua habilidade em trabalhar cooperativamente pode ser um dos seus grandes trunfos.

Até os 25 anos de idade, o seu Sol transita pelo signo de Aquário, acentuando questões ligadas à liberdade, à amizade e de expressão da sua individualidade. Depois dos 26 anos de idade, quando o seu Sol progredido entra no signo de Peixes, você se torna mais sensível e impressionável. Aos 56 anos de idade, a sua vida passa por uma outra mudança, quando o seu Sol progredido entra no signo de Áries. Essa influência dinâmica acentua a sua liderança e lhe dá mais senso de orientação, pois você passa a se sentir mais assertivo e confiante e isso pode inspirá-lo a dar início a novos projetos.

O Seu Eu Secreto

O ímpeto para agir e para obter reconhecimento pessoal revelado pelo seu dia de aniversário sugere que você é uma pessoa dotada de força de vontade e de ambição. Com a sua capacidade de resistência e seu forte instinto de sobrevivência, você pode ser uma pessoa persistente, mas deve evitar tornar-se obstinado ou impaciente. Embora possa às vezes ficar preso ao mundo material e se preocupar desnecessariamente com questões de ordem financeira, a sua habilidade para ter idéias felizes e compartilhá-las com os outros contribui em muito para o seu sucesso.

O seu idealismo e sua imaginação ativa podem se manifestar por meio de um interesse pela arte, pela música, pela religião ou pela espiritualidade. Com os seus grandes sonhos, energia e determinação, é surpreendente que você também possa ter tendência à inércia. Você pode ter uma vida harmônica se utilizar a sua perspectiva universal, pois isso o conecta com a sua compaixão inata e muitas vezes o inspira a ter gestos altruístas.

Trabalho & Vocação

A sua inventividade e sua astúcia para julgar o caráter das pessoas podem ser especialmente úteis em qualquer carreira profissional, em particular a literatura ou atividades ligadas a algum tipo de aconselhamento. Amigável e com capacidade para trabalhar com outras pessoas, você tem facilidade para fazer contatos, o que pode ajudá-lo na sua vida. Intuitivo e idealista, você gosta de atividades em colaboração com outras pessoas, mesmo sendo independente e disposto a tomar as próprias decisões. Você pode se sair especialmente bem em atividades ligadas a vendas ou a promoção de idéias ou produtos. Da mesma forma, o seu senso para os negócios, habilidade organizacional e capacidade para lidar com as pessoas garantem o seu sucesso em ocupações como consultor financeiro ou negociador. Como é uma pessoa sensível e perfeccionista, você pode desenvolver as suas habilidades criativas em nível profissional nas áreas de música, de literatura ou de artes plásticas.

ESTRELAS FIXAS

Dabih; Giedi, também chamada de Al Jady; Oculus; Bos

ESTRELA PRIMÁRIA

Nome da estrela:
Dabih
Posição:
3°4'-4°3' de Aquário, entre os anos de 1930 e 2000
Magnitude:
3
Força:
★★★★★★
Órb:
1°40'
Constelação:
Beta Capricórnio
Dias:
23, 24, 25 e 26 de janeiro
Qualidades da estrela:
Saturno/Vênus e Saturno/Urano
Descrição:
uma estrela binária laranja-amarelada, localizada no olho esquerdo da Cabra.

Numerologia

Rápido e vigoroso, ainda que intuitivo e ponderado, como indivíduo de número 25 você precisa se expressar por meio de diferentes experiências, que podem incluir novas idéias, pessoas e lugares. O desejo de perfeição o impele a trabalhar duro e a ser produtivo. Contudo, você precisa ficar menos impaciente ou crítico se as coisas não ocorrerem como planejado. Como número 25, você possui uma forte energia mental que, quando concentrada, ajuda-o a ver todos os fatos e a chegar a uma conclusão mais rápido do que qualquer outra pessoa. Você pode ter sucesso e felicidade quando aprende a confiar nos próprios instintos e a desenvolver a perseverança e a paciência. A subinfluência do mês número 1 indica que você é intuitivo e ambicioso. Quando se sente confiante, você tem muito entusiasmo e disposição para trabalhar em colaboração com outras pessoas. Porém, quando se sente em dúvida, você pode ser desconfiado e pouco cooperativo. Inovador e corajoso, você fala o que pensa mas geralmente o faz com charme. Como se preocupa com a sua segurança, você precisa de estabilidade para manter-se equilibrado e relaxado.

Positivo: altamente intuitivo, perfeccionista, perceptivo, mente criativa, talento para lidar com as pessoas

Negativo: impaciente, irresponsável, excessivamente emotivo, ciumento, desconfiado, instabilidade, crítico, mal-humorado

Amor & Relacionamentos

Gregário e voltado para o grupo, você gosta de fazer contatos e de conhecer pessoas. Em geral, você tem uma vida social agitada e sabe combinar negócios com prazer. Você considera todos os seus relacionamentos muito importantes e se esforça para manter o contato com todos os seus amigos e conhecidos. Você gosta da companhia de pessoas inteligentes e poderosas. Todavia, deve tomar cuidado para não ser muito manipulador com os seus parceiros. Mesmo que ocasionalmente se preocupe com questões de ordem financeira, você pode ser generoso com as pessoas que ama.

INFLUÊNCIA DA ESTRELA PRIMÁRIA

Dabih confere posições de confiança e autoridade e uma natureza responsável que pode lhe dar reconhecimento público. Dabih também sugere que você pode ter uma natureza reservada e uma tendência à desconfiança. Ela adverte contra associações moralmente ofensivas ou a perdas por intermédio de amigos.
Ligada ao grau do seu Sol, esta estrela concede determinação e sucesso por meio de um progresso constante e trabalho duro. Dabih também sugere que você deve ser cauteloso e usar métodos convencionais na sua busca por oportunidades de promoção.

- **Positivo**: trabalho duro, dedicação, perseverança
- **Negativo**: desconfiança excessiva, dúvida

Consulte o Apêndice para obter mais informações acerca das estrelas fixas.

ALGUÉM ESPECIAL

Para ter mais chances de encontrar o amor e a felicidade, procure pelas pessoas nascidas nas seguintes datas:

Amor & amizade: jan: 3, 6, 23, 28; fev: 11, 21; mar: 9, 19, 28, 31; abr: 7, 17, 26, 29; mai: 5, 15, 24, 27, 29, 31; jun: 3, 13, 18, 22, 25, 27, 29; jul: 1, 11, 20, 23, 25, 27, 29; ago: 9, 18, 21, 23, 25, 27; set: 7, 16, 19, 21, 23, 25, 27; out: 5, 10, 14, 17, 19, 21, 23; nov: 3, 12, 15, 17, 19, 21; dez: 1, 10, 13, 15, 17, 19

Relacionamentos benéficos: jan: 3, 4, 10, 21; fev: 1, 2, 8, 19; mar: 6, 17, 30; abr: 4, 15, 18; mai: 2, 13, 26; jun: 11, 24; jul: 9, 22; ago: 7, 20; set: 5, 18, 22; out: 3, 16, 31; nov: 1, 14, 29; dez: 12, 27

Atrações fatais: jan: 22, 28; fev: 20, 26; mar: 18, 24; abr: 16, 22; mai: 14, 20; jun: 12, 18; jul: 10, 16, 26, 27, 28, 29; ago: 8, 4; set: 6, 12; out: 4, 10; nov: 2, 8; dez: 6

Relacionamentos desafiantes: jan: 11, 20; fev: 9, 18; mar: 7, 16; abr: 5, 14; mai: 3, 12, 30; jun: 1, 10, 28; jul: 8, 26, 31; ago: 6, 24, 29; set: 4, 22, 27; out: 2, 20, 25; nov: 18, 23; dez: 16, 21

Alma gêmea: jan: 26; fev: 24; mar: 22, 30; abr: 20, 28; mai: 18, 26; jun: 16, 24; jul: 14, 22; ago: 12, 20; set: 10, 18; out: 8, 16; nov: 6, 14; dez: 4, 12

26 de Janeiro

A influência do seu aniversário em Aquário indica que você é uma pessoa individualista, com força de vontade e que gosta de estar à frente de novas tendências e idéias. Carismático e determinado, você tem uma capacidade intuitiva de liderança e a habilidade de combinar negócios com prazer. O ímpeto para a ação e para a realização pessoal revelado pelo dia do seu aniversário sugere que você é ambicioso e voltado para o sucesso. Você apreende rapidamente as situações e prefere ter uma maneira honesta e direta. Como possui vigor e espírito empreendedor, você tem potencial para transformar os seus grandes sonhos em realidade concreta.

Devido à influência adicional do seu Sol no decanato de Aquário, você é uma pessoa humanitária e liberal, com uma leve inclinação à rebeldia. Quando essas qualidades são usadas de maneira construtiva, você pode ser um pioneiro e dar início a novos empreendimentos. Paradoxalmente, embora não goste de ter a sua liberdade restringida de nenhuma maneira, você corre o risco de ser autoritário na sua tentativa de fazer as coisas do seu jeito. Naturalmente direto e com um bom senso de valores, você normalmente tem uma personalidade assertiva e amigável.

SOL: AQUÁRIO
DECANATO: AQUÁRIO/URANO
GRAU: 5°-6° AQUÁRIO
MODO: FIXO
ELEMENTO: AR

Apesar da sua excelente capacidade para lidar com as pessoas, a paciência não é o seu forte. Isso pode fazer com que você alterne entre um comportamento inquieto e a propensão a ter gestos magnânimos. Contudo, um dos seus maiores trunfos é a habilidade para entender o que motiva as pessoas. Quando combina essa característica com as suas idéias felizes, seu idealismo e sua abordagem realista, você pode ser bem-sucedido e ter prosperidade.

Até os 24 anos de idade, o seu Sol transita pelo signo de Aquário, acentuando questões ligadas à liberdade e à independência. Você desenvolve, nessa época, um grande interesse pela amizade e por atividades em grupo, além de uma necessidade de expressar a sua individualidade. Depois dos 25 anos de idade, quando o seu Sol progredido entra no signo de Peixes, você se torna mais sensível e passa a lidar com questões de natureza emocional. Você pode desenvolver um maior senso de visão ou se conectar com o seu mundo interior. Aos 55 anos de idade, a sua vida passa por uma outra mudança, quando o seu Sol progredido entra no signo de Áries. Essa influência acentua a necessidade de tomar iniciativas e de ser direto e ativo nos seus relacionamentos com as outras pessoas. Você passa, nessa fase, a se sentir mais confiante e ousado e pode dar início a novos planos e atividades.

O Seu Eu Secreto

Como tem o poder de manifestar o que deseja da vida, é vital que tenha clareza quanto aos seus objetivos. Para as outras pessoas você pode aparentar ser desapegado, ainda que guarde dentro de si sentimentos e desejos poderosos. Essas fortes emoções precisam ser reconhecidas e canalizadas por meios positivos. Quando são direcionadas para o amor altruísta e para ajudar aos outros, a sua personalidade e seus elevados ideais podem ser uma formidável força benéfica.

Você possui um talento natural para os negócios, além de saber fazer contatos. Você avalia constantemente a si próprio e as vantagens obtidas com as situações, e gosta de negociar ou fazer com que as coisas aconteçam. Mesmo quando está bem, você tem medo de não ter dinheiro suficiente. Quando se mantém em contato com o seu espírito forte, no entanto, você percebe que sempre tem mais do que precisa.

Trabalho & Vocação

Motivado pela forte combinação de idealismo e praticidade, você possui uma habilidade natural de liderança. Se estiver envolvido no mundo dos negócios, você tem uma perspectiva saudável quanto ao dinheiro, mas deve evitar lutas de poder ou criticar os outros. Você prospera quando inicia novos projetos ou enfrenta desafios e tem a maravilhosa habilidade para perceber oportunidades. Com o seu entusiasmo e seu discurso persuasivo, você sabe vender idéias e promover produtos e outras pessoas. Como uma pessoa que tem coragem, responsabilidade e habilidades executivas, você pode seguir uma carreira no mundo do comércio, como negociador, vendedor ou consultor financeiro. Mas a sua abordagem única e original pode se manifestar no mundo da criatividade.

ESTRELAS FIXAS

Dabih; Oculus; Bos

ESTRELA PRIMÁRIA

Nome da estrela:
Dabih

Posição:
3°4'-4°3' de Aquário, entre os anos de 1930 e 2000

Magnitude:
3

Força:
★★★★★★

Órb:
1°40'

Constelação:
Beta Capricórnio

Dias:
23, 24, 25 e 26 de janeiro

Qualidades da estrela:
Saturno/Vênus e Saturno/Urano

Descrição:
uma estrela binária laranja-amarelada, localizada no olho esquerdo da Cabra.

Numerologia

Com o dia de aniversário número 26, você tem uma maneira pragmática de abordar a vida, habilidade executiva e um bom senso para os negócios. Em geral, uma pessoa responsável, dotada de um senso estético natural e com amor pela sua casa, você precisa construir uma sólida base ou encontrar uma verdadeira estabilidade. Muitas vezes um manancial de força para os outros, você está sempre disposto a apoiar os amigos e familiares que o procuram em períodos difíceis. Porém, você precisa evitar a tendência ao materialismo e o desejo de controlar as pessoas e situações. A subinfluência do mês número 1 indica que você é intuitivo e independente, dotado de um espírito empreendedor. A sua necessidade de liberdade sugere que você precisa de espaço de manobra ou aproveitar as oportunidades que surgem. Liberal e prático, você percebe de antemão as novas tendências. Cheio de entusiasmo e de idéias originais, você muitas vezes mostra aos outros o caminho adiante. Você é uma pessoa séria e trabalhadora, capaz de progredir verdadeiramente, e que normalmente usa a sua imaginação de maneira prática. Mesmo que possa realizar muito por meio do seu esforço, você precisa da cooperação das outras pessoas para obter um sucesso verdadeiro.

Positivo: criativo, prático, atencioso, responsável, orgulho da família, entusiasmo, coragem
Negativo: teimoso, rebelde, relacionamentos instáveis, falta de entusiasmo, falta de persistência

Amor & Relacionamentos

A tendência a mudar de sentimentos nos seus relacionamentos amorosos sugere, entre outras coisas, que você precisa de variedade e de movimento. Você precisa desenvolver a paciência para ver como as coisas irão se desenrolar, em vez de agir precipitadamente e depois se arrepender. Normalmente você gosta de levar uma vida ativa, conhecer novas pessoas e ter experiências diferentes. O seu parceiro ideal deve ser alguém capaz de manter o seu interesse, além de ser amoroso e compreensivo. Como é uma pessoa independente, mesmo quando está com alguém que ama, você precisa de liberdade para fazer as coisas do seu jeito.

INFLUÊNCIA DA ESTRELA PRIMÁRIA

Dabih confere posições de confiança e autoridade e uma natureza responsável que pode lhe dar reconhecimento público. Dabih também sugere que você pode ter uma natureza reservada e uma tendência à desconfiança. Ela adverte contra associações moralmente ofensivas ou a perdas por intermédio de amigos. Ligada ao grau do seu Sol, esta estrela concede determinação e sucesso por meio de um progresso constante e trabalho duro. Dabih também sugere que você deve ser cauteloso e usar métodos convencionais na sua busca por oportunidades de promoção.

- **Positivo**: trabalho duro, dedicação, perseverança
- **Negativo**: desconfiança excessiva, dúvida

Consulte o Apêndice para obter mais informações acerca das estrelas fixas.

ALGUÉM ESPECIAL

Para ter segurança, estímulo mental e amor, comece procurando entre as pessoas nascidas nas seguintes datas:

Amor & amizade: jan: 6, 14, 22, 24, 31; fev: 4, 12, 22, 29; mar: 10, 20, 27; abr: 8, 18, 25; mai: 6, 16, 23, 25, 30; jun: 4, 14, 21, 28, 30; jul: 2, 12, 19, 26, 28, 30; ago: 10, 17, 24, 26, 28; set: 8, 15, 22, 24, 26; out: 4, 6, 13, 15, 22, 24, 30; nov: 4, 11, 18, 20, 22, 28; dez: 2, 9, 16, 18, 20, 26, 29

Relacionamentos benéficos: jan: 5, 22, 30; fev: 3, 20, 28; mar: 1, 18, 26; abr: 16, 24; mai: 14, 22; jun: 12, 20; jul: 10, 18, 29; ago: 8, 16, 27, 31; set: 6, 14, 25, 27, 29; out: 4, 12, 23, 27; nov: 2, 10, 21, 23, 25; dez: 9, 19, 23

Atrações fatais: jan: 12; fev: 10; mar: 8; abr: 6; mai: 4; jun: 2; jul: 28, 29, 30, 31

Relacionamentos desafiantes: jan: 16, 21; fev: 14, 19; mar: 12, 17, 30; abr: 10, 15, 28; mai: 8, 13, 26; jun: 6, 11, 24; jul: 4, 9, 22; ago: 2, 7, 20; set: 5, 18; out: 3, 16; nov: 1, 14; dez: 12

Alma gêmea: jan: 25; fev: 23; mar: 21; abr: 19; mai: 17; jun: 15; jul: 13; ago: 11; set: 9; out: 7; nov: 5; dez: 3, 30

27 de Janeiro

Inteligente, intuitivo e muito individualista, você é uma pessoa bem-informada e com percepções rápidas. O seu dia de aniversário em Aquário indica que você é independente, tem habilidade de liderança e prefere assumir o controle em vez de obedecer a superiores. Assertivo e com senso comum, você normalmente está disposto a trabalhar duro para alcançar os seus objetivos. Com o seu extraordinário intelecto e sua intuição, você precisa apenas desenvolver a disciplina necessária para tornar melhor o seu formidável potencial.

Devido à influência adicional do seu Sol no decanato de Aquário, você é amigável, expansivo e interessado pelas pessoas. Capaz de abordar um problema a partir de uma perspectiva única, você pode dar conselhos e soluções práticos. Você também pode ser um tanto excêntrico ou pouco convencional. A sua maneira individual de pensar pode colocá-lo à frente do seu tempo, mesmo que haja também o perigo de você se tornar teimoso ou rebelde.

SOL: AQUÁRIO
DECANATO: AQUÁRIO/URANO
GRAU: 6°-7° AQUÁRIO
MODO: FIXO
ELEMENTO: AR

Quando persegue os seus planos com tenacidade, você desenvolve a paciência e a perseverança necessárias para alcançar os seus planos a longo prazo. Com uma mente objetiva e inventiva, você pode ter lampejos geniais e a sua intuição acerca das outras pessoas em geral é correta. Você sabe julgar o caráter das pessoas e é direto e franco. A sua perspectiva original pode inspirá-lo a participar de movimentos sociais. As mulheres nascidas neste dia tendem a pensar de forma decidida e muitas vezes assumem o comando das situações em vez de serem observadoras passivas.

Até os 24 anos de idade, o seu Sol transita pelo signo de Aquário, acentuando questões ligadas à liberdade, à amizade e de expressão da sua individualidade. Depois dos 24 anos de idade, quando o seu Sol progredido entra no signo de Peixes, você se torna emocionalmente mais sensível e desenvolve o seu senso de visão, ou passa a ter mais contato com o seu mundo interior. Aos 55 anos de idade, a sua vida passa por uma outra mudança, quando o seu Sol progredido entra no signo de Áries. Essa influência faz com que você se sinta mais confiante, assertivo e ambicioso, e é possível que o impulsione a dar início a novas atividades.

O Seu Eu Secreto

Quando se decide por algum objetivo definido, você pode ser uma pessoa determinada e inflexível no tocante à realização das suas metas. Essa mesma capacidade de decisão pode ajudá-lo a superar os obstáculos e torná-lo capaz de grandes realizações. Você gosta de poder e de manter o controle, mas deve evitar se envolver em táticas ou jogos psicológicos. O seu forte senso de dever e seu desejo de sucesso material sugerem que você encara o seu trabalho e as suas responsabilidades com seriedade.

Apesar de independente, você normalmente trabalha bem em grupos ou parcerias e sabe compreender a dinâmica dos compromissos em relacionamentos profissionais. Ainda que não tenha paciência com pessoas chatas, você normalmente consegue mais quando usa a sua diplomacia natural em vez de adotar uma abordagem dogmática. Nos seus contatos pessoais, você tem a habilidade de fazer com que as pessoas se sintam especiais.

Trabalho & Vocação

A sua inteligência aguçada pode ser uma das maiores influências na carreira que escolher. Você precisa de atividades que o mantenham mentalmente estimulado e pode ser responsável e trabalhador. Quando tem oportunidade, você normalmente alcança posições de autoridade. O seu humanitarismo natural pode levá-lo a carreiras ligadas a atividades educacionais ou sociais, mas é possível também que tenha sucesso no mundo da política ou em movimentos progressistas ligados aos direitos humanos. A sua habilidade organizacional e capacidade de comunicação podem ser um trunfo se estiver envolvido no mundo dos negócios ou da advocacia. No entanto, como é muito independente, você pode preferir trabalhar como *freelance* ou por conta própria. A sua compreensão da natureza humana pode ser útil em carreiras que envolvam algum tipo de aconselhamento ou na área médica. O seu desejo de expressar a sua criatividade e sua individualidade pode levá-lo ao mundo da arte, do teatro e, particularmente, ao mundo da música.

ESTRELAS FIXAS

Embora o grau do seu Sol não esteja associado a nenhuma estrela fixa, alguns de seus outros planetas certamente estão. Por meio do seu mapa astrológico, você pode encontrar a posição exata dos planetas na sua data de nascimento e poderá saber quais das estrelas fixas listadas neste livro são relevantes para você.

Numerologia

O dia de aniversário número 27 indica que você é idealista e sensível. Intuitivo e analítico, dotado de uma imaginação fértil e criativa, você impressiona as pessoas com os seus pensamentos originais. Embora às vezes possa parecer reservado, excessivamente racional ou distante, você, na verdade, pode estar escondendo as suas tensões internas. Com o desenvolvimento da sua capacidade de comunicação, você pode superar a dificuldade de expressar os seus sentimentos mais profundos. A educação é um fator fundamental para as pessoas de número 27, e desenvolvendo a profundidade de pensamento você se torna mais paciente e autodisciplinado. A subinfluência do mês número 1 indica que você é talentoso e imaginativo, dotado de fortes instintos e habilidades psíquicas. Você pensa de forma independente, é autônomo e assertivo, e tem uma perspectiva liberal. Cheio de entusiasmo e de idéias originais, você tem uma abordagem progressista, o que sugere que muitas vezes mostra aos outros o caminho adiante. Idealista, você, porém, é sério e trabalhador e gosta de usar o que pensa de forma prática. Inovador e corajoso, você não hesita em falar o que pensa a respeito das questões que realmente o interessam e gosta de ter experiências diferentes. Na maior parte das vezes, você forma as suas opiniões.

- **Positivo**: versátil, imaginativo, criativo, corajoso, boa compreensão, mentalmente capaz, espiritualizado, inventivo, força mental
- **Negativo**: ofende-se facilmente, brigão, inquieto, desconfiado, excessivamente emotivo, tenso

Amor & Relacionamentos

Humanitário e progressista, você tem necessidade de se cercar de pessoas, o que sugere que o amor e os relacionamentos são especialmente importantes para você. Você é emocionalmente honesto e inteligente, e as outras pessoas admiram as suas habilidades e perspectiva racional. Com necessidade de ter estabilidade e segurança emocional, você pode vir a perceber que a vida familiar e uma base sólida desempenham um papel significativo na sua vida. Com as suas fortes emoções, você pode ser devotado, leal e atencioso, mas deve evitar a tendência a ser dominador.

ALGUÉM ESPECIAL

Para encontrar o seu parceiro especial, comece procurando entre as pessoas nascidas nas seguintes datas:

Amor & amizade: jan: 7, 8, 11, 13, 15, 17, 25; fev: 5, 7, 9, 11, 13, 15, 23; mar: 7, 9, 11, 13, 21; abr: 2, 5, 7, 9, 11, 19; mai: 3, 5, 7, 9, 17, 31; jun: 1, 3, 5, 7, 15, 29; jul: 1, 3, 5, 27, 29, 31; ago: 1, 3, 11, 25, 27, 29; set: 1, 9, 23, 25, 27; out: 7, 21, 23, 25; nov: 5, 19, 21, 23; dez: 3, 17, 19, 21, 30

Relacionamentos benéficos: jan: 1, 5, 20, 29; fev: 3, 18; mar: 1, 16; abr: 14; mai: 12; jun: 10, 17; jul: 8; ago: 6; set: 4; out: 2, 9

Atrações fatais: jul: 28, 29, 30, 31

Relacionamentos desafiantes: jan: 6, 22, 24; fev: 4, 20, 22; mar: 2, 18, 20; abr: 16, 18; mai: 14, 16; jun: 12, 14; jul: 10, 12; ago: 8, 10, 31; set: 6, 8, 29; out: 4, 6, 27; nov: 2, 4, 25, 30; dez: 2, 23, 28

Alma gêmea: jan: 6, 12; fev: 4, 10; mar: 2, 8; abr: 6; mai: 4; jun: 2

28 de Janeiro

Ambicioso e inteligente, você é um aquariano que pensa rápido e tem uma intuição natural. Charmoso e atraente, você transmite uma imagem confiante para as outras pessoas. Como é generoso e amigável e possui habilidade social, você, provavelmente, é uma pessoa popular. Talentoso e com boa capacidade de julgamento, você se sente seguro quanto ao que sabe e tem um pensamento independente. Com as suas reações rápidas e seu grande senso de individualidade você raramente é uma pessoa entediante, mas deve tomar cuidado com a tendência à impaciência.

Devido à influência do seu Sol no decanato de Aquário, você é uma pessoa humanitária, original e liberal, que tem uma inclinação à rebeldia. Se essa rebeldia for positivamente canalizada, você pode se tornar um pioneiro, com idéias novas e progressistas. Como é naturalmente um bom psicólogo, você tem astúcia para perceber o caráter e as motivações das pessoas, o que o pode ajudar na sua escalada para o sucesso.

SOL: AQUÁRIO
DECANATO: AQUÁRIO/URANO
GRAU: 7°-8° AQUÁRIO
MODO: FIXO
ELEMENTO: AR

As suas amizades podem ter um papel fundamental no seu desenvolvimento emocional. Como é caloroso e sociável, você sabe fazer contatos. Ironicamente, mesmo não gostando de interferências alheias ou de restrições na sua liberdade pessoal, há a possibilidade de você mesmo se tornar uma pessoa autoritária ou teimosa. Original e inventivo, você tem uma mente rápida, assertiva, concisa e espirituosa e sabe ser sarcástico e ter respostas inteligentes. Quando se sente ameaçado, você pode ser competitivo e também tem a capacidade de fazer retaliações verbais. Apesar de boa capacidade crítica, você deve tomar cuidado para não ir longe demais e usar as palavras como se fossem armas.

Até os 22 anos de idade, o seu Sol transita pelo signo de Aquário, acentuando questões ligadas à sua liberdade pessoal, à amizade e à expressão da sua individualidade. Depois dos 23 anos de idade, quando o seu Sol progredido entra no signo de Peixes, você se torna mais sensível e receptível e passa a dar ênfase aos seus sonhos e intuição natural. Aos 53 anos de idade, a sua vida passa por uma outra mudança, quando o seu Sol progredido entra no signo de Áries. Essa influência dinâmica lhe dá mais sentido de orientação, pois você passa a se sentir mais confiante e ousado.

O Seu Eu Secreto

Dramático, sensível e criativo, você tem uma grande necessidade de se expressar. Normalmente é uma pessoa otimista, mas a insatisfação ou indecisão no tocante a questões emocionais podem ser desafios para você. Contudo, o seu idealismo pode ser uma fonte de inspiração, pois você não gosta de se sentir entediado e está sempre procurando atividades novas e originais para manter o seu interesse vivo. Com os seus dons intuitivos ou psíquicos, você pode ter uma grande satisfação por meio de uma sabedoria superior.

Voltado para o sucesso e com habilidade para perceber as coisas dentro de uma perspectiva ampla, você tem grandes planos e pode ser uma pessoa empreendedora. Ambicioso e corajoso, você tem sorte e bom senso para os negócios. No entanto, tome cuidado com a tendência a pensar que a segurança material pode lhe dar todas as respostas. Isso enfatiza que é preciso que você faça escolhas que aumentem o seu senso de valores, identidade e auto-estima.

Trabalho & Vocação

ESTRELAS FIXAS

Embora o grau do seu Sol não esteja associado a nenhuma estrela fixa, alguns de seus outros planetas certamente estão. Por meio do seu mapa astrológico, você pode encontrar a posição exata dos planetas na sua data de nascimento e poderá saber quais das estrelas fixas listadas neste livro são relevantes para você.

Como uma pessoa astuta, charmosa, espirituosa e que tem talento com as palavras, você pode se sair bem em qualquer carreira que envolva algum tipo de comunicação, especialmente a literatura, os meios de comunicação ou defender os direitos de outras pessoas. Você deseja ampliar o seu conhecimento e pode sentir-se atraído pelos mundos da educação, da ciência ou do direito. Capaz e multitalentoso, você é um idealista humanitário e tem uma grande capacidade de realização. Esse lado da sua natureza pode fazer com que você se sinta mais à vontade desenvolvendo atividades ligadas a algum tipo de aconselhamento, de trabalho comunitário ou de luta por uma causa social ou política. Com a sua capacidade natural para liderar e para pensar em grandes termos, você pode usar a sua habilidade administrativa trabalhando em grandes organizações ou no mundo dos negócios. Mas a sua necessidade de expressão artística pode levá-lo ao mundo da arte e do entretenimento, especialmente por meio da música ou do teatro.

Numerologia

Independente e idealista, dotado de determinação e de pragmatismo, você é, na maior parte das vezes, a própria lei. Como indivíduo número 1, você é ambicioso, direto e empreendedor. O conflito interno entre o desejo de ser independente e ao mesmo tempo de pertencer a um grupo também é indicado. Sempre pronto para a ação e novos empreendimentos, você aceita com coragem os desafios da vida, e com o seu entusiasmo pode facilmente inspirar as pessoas a acompanhá-lo ou a apoiá-lo em tudo o que fizer. Com o dia de aniversário número 28, você possui capacidade de liderança e confia no seu senso comum, na lógica e na clareza de pensamento. Você, muitas vezes, assume responsabilidades, mas pode ser excessivamente entusiástico, impaciente ou intolerante. A subinfluência do mês número 1 indica que você é cheio de entusiasmo e de idéias originais. Astuto e instintivo, a sua necessidade de manter-se em atividade e de enfrentar desafios mentais indica que você pode, desde a sua juventude, realizar muitas coisas. Ainda seja prático, os seus valores podem mudar devido às experiências por que passa e é possível que isso o leve a se expressar de maneira diferente. Para ter paz interior, você precisa criar uma atmosfera harmônica e amorosa.

Positivo: compassivo, progressista, ousado, artístico, idealista, ambicioso, trabalhador, vida doméstica estável, força de vontade

Negativo: sonhador, sem motivação, falta de compaixão, pouco realista, autoritário, falta de julgamento

Amor & Relacionamentos

Inteligente e determinado, você gosta da companhia de pessoas igualmente inteligentes, que o estimulem mentalmente ou sejam aventureiras. Você tem uma tendência a se entediar com facilidade, o que indica que prefere pessoas ativas. Como tem muitas dúvidas no que diz respeito a relacionamentos íntimos, você se sente melhor quando mantém relações platônicas com pessoas que tenham interesses semelhantes aos seus. Quando se compromete com alguém, você é um parceiro leal, amoroso e atencioso.

ALGUÉM ESPECIAL

Para encontrar um parceiro que o mantenha interessado e aprecie a sua sensibilidade, comece procurando entre as pessoas nascidas nas seguintes datas:

Amor & amizade: jan: 9, 12, 16, 25, 30; fev: 7, 10, 14, 23, 24; mar: 5, 8, 12, 22, 31; abr: 6, 10, 20, 29; mai: 4, 8, 18, 22, 27; jun: 2, 6, 16, 25, 30; jul: 4, 14, 23, 28; ago: 2, 12, 21, 26, 30; set: 10, 19, 24, 28; out: 8, 12, 17, 22, 26; nov: 6, 15, 20, 24, 30; dez: 4, 13, 18, 22, 28

Relacionamentos benéficos: jan: 2, 13, 19, 22, 24; fev: 11, 17, 20, 22; mar: 9, 15, 18, 20, 28; abr: 7, 13, 16, 18, 26; mai: 5, 11, 16, 18, 26; jun: 3, 9, 12, 14, 22; jul: 1, 7, 10, 12, 20; ago: 5, 8, 10, 18; set: 3, 6, 8, 16; out: 1, 4, 6, 14; nov: 2, 4, 12; dez: 2, 10

Atrações fatais: jan: 25; fev: 23; mar: 21; abr: 19; mai: 17; jun: 15; jul: 13, 30, 31; ago: 1, 2, 11; set: 9; out: 7; nov: 5; dez: 3

Relacionamentos desafiantes: jan: 7, 23; fev: 5, 21; mar: 3, 19, 29; abr: 1, 17, 27; mai: 15, 25; jun: 13, 23; jul: 11, 21, 31; ago: 9, 19, 29; set: 7, 17, 27, 30; nov: 3, 13, 23, 26; dez: 1, 11, 21, 24

Alma gêmea: jan: 17; fev: 15; mar: 13; abr: 11; mai: 9; jun: 7; jul: 5; ago: 3; set: 1; nov: 30; dez: 28

29 de Janeiro

Com muita força de vontade e inteligência, você é um aquariano dotado de uma excelente capacidade de comunicação. Pode ser que você use a sua inclinação natural à rebeldia para apoiar o direito de outras pessoas, e com o seu grande conhecimento você muitas vezes age como mediador. O seu magnetismo pessoal e seus talentos criativos atraem as outras pessoas, e é provável que você seja popular e se dê bem com pessoas de diferentes círculos sociais. Muitas vezes uma pessoa espirituosa e com personalidade forte, você consegue transmitir as suas idéias de maneira divertida e animada.

Devido à influência adicional do seu Sol no decanato de Aquário, as suas idéias inventivas estão muitas vezes à frente do seu tempo. Independente e com amor pela liberdade, você tem necessidade de fazer as coisas do seu jeito. Muito sociável, você valoriza as amizades e encara os seus relacionamentos de modo liberal e humanitário. Honesto quanto aos seus sentimentos, quando encontra uma pessoa ou um projeto de que realmente goste você mostra todo o seu entusiasmo. Contudo, como é muito tenso, você deve evitar estressar-se não se sobrecarregando ou sendo muito imprevisível.

SOL: AQUÁRIO
DECANATO: AQUÁRIO/URANO
GRAU: 8°-9° AQUÁRIO
MODO: FIXO
ELEMENTO: AR

Idealista e com fortes convicções, você tem talento para falar e escrever e isso pode fazer com que se dedique à literatura ou ao magistério. Mesmo sendo prático e tendo capacidade de organização, você pode, às vezes, ser levado pelo otimismo e pelo espírito empreendedor. Franco e muito vigoroso, você gosta da ação e quer que as coisas aconteçam de maneira grandiosa. Você tem talento e é determinado, mas tome cuidado para que o orgulho não o leve à teimosia ou à obstinação.

Até os 21 anos de idade, o seu Sol transita pelo signo de Aquário, acentuando questões ligadas à liberdade, à independência e à necessidade de expressão da sua individualidade. Depois dos 22 anos de idade, quando o seu Sol progredido entra no signo de Peixes, você se torna mais sensível e consciente das questões de natureza emocional. Aos 52 anos de idade, a sua vida passa por uma outra mudança, quando o seu Sol progredido entra no signo de Áries e acentua o seu senso de auto-orientação, dando-lhe mais autoconfiança, assertividade e uma necessidade maior de se dedicar a novas áreas de interesse.

O Seu Eu Secreto

Muito persuasivo, você é uma interessante combinação de materialismo e idealismo. Ainda que possa se preocupar demais com questões financeiras ou com a sua segurança material, o seu dia de aniversário indica uma proteção financeira natural, garantindo que você recebe de volta tudo o que dá. Você aprecia a beleza e a boa vida, o que sugere que também gosta do luxo e do *glamour*. Todas as suas formas de expressão artísticas ou criativas são originais.

Charmoso e caloroso, você possui emoções fortes. A sua personalidade carismática permite que você irradie amor e positividade, enfatizando a importância de ter uma maneira de canalizar a sua auto-expressão. No entanto, devido aos seus fortes sentimentos, você deve evitar ir a extremos ou agir impulsivamente. O seu temperamento combina os elementos masculinos e femininos, enfatizando tanto a independência e a determinação quanto a compaixão e a sensibilidade.

Trabalho & Vocação

Com a sua inteligência aguçada, você tem muitas opções profissionais. Você tem habilidade para comunicar as suas idéias, o que pode levá-lo ao magistério ou à literatura. Com a sua atitude positiva e sua personalidade expansiva, você pode ser bem-sucedido em carreiras que envolvam o trato com outras pessoas e ser promovido a cargos de responsabilidade. Você pode sentir-se atraído pelo mundo do comércio e usar o seu charme persuasivo nas áreas de vendas, promoções e negociações. Mas a sua necessidade de se expressar pode levá-lo ao mundo dos meios de comunicação ou do entretenimento.

ESTRELAS FIXAS

Embora o grau do seu Sol não esteja associado a nenhuma estrela fixa, alguns de seus outros planetas certamente estão. Por meio do seu mapa astrológico, você pode encontrar a posição exata dos planetas na sua data de nascimento e poderá saber quais das estrelas fixas listadas neste livro são relevantes para você.

Numerologia

Como uma pessoa número 29, você tem uma personalidade poderosa e um potencial extraordinário. Você é altamente intuitivo, sensível e emotivo. A inspiração é a chave para o seu sucesso e sem ela você pode sentir uma falta de propósito na vida. Apesar de ser um verdadeiro sonhador, os lados extremos da sua natureza indicam que você deve evitar as oscilações de humor. Se confiar nos seus sentimentos mais profundos e abrir seu coração para os outros, você pode superar a tendência à preocupação ou a usar a sua mente como uma armadura protetora. Use os seus pensamentos criativos para conquistar algo especial e único que possa motivá-lo ou ajudar as outras pessoas. A subinfluência do mês número 1 indica que você é intuitivo e receptivo e que tem uma natureza humanitária. Criativo e inteligente, você pode se destacar em todos os tipos de atividades que exijam individualidade e astúcia mental. O espírito empreendedor aqui indicado o encoraja a ter diversas experiências e a tomar as próprias decisões. Liberal e com muito entusiasmo, você gosta de explorar novas idéias e muitas vezes tem interesse pelo conhecimento técnico e pela aplicação de novas descobertas. Embora seja imaginativo e inventivo, você gosta de usar as suas idéias de maneira prática.

Positivo: inspirador, equilibrado, paz interior, generoso, bem-sucedido, criativo, intuitivo, místico, sonhos poderosos, mundanismo, fé

Negativo: falta de concentração, inseguro, mal-humorado, difícil, extremista, sem consideração, excessivamente sensível

Amor & Relacionamentos

Normalmente honesto e direto, você gosta de compartilhar os seus diversos interesses com as outras pessoas e pode ser uma excelente companhia. Espontâneo e idealista, você precisa ter uma ligação estimulante com o seu parceiro. Porém, como tem medo de ser abandonado ou de ficar sozinho, você pode aparentar ser distante ou pouco atencioso ou, ainda, apegar-se a parceiros pouco adequados. Você deve tomar cuidado para não aparentar muita indiferença ou independência e fazer com que o seu parceiro sinta-se dispensável. Inteligente e intuitivo, você gosta da companhia de pessoas criativas e pode ser um amigo leal e generoso.

ALGUÉM ESPECIAL

É mais provável que você assuma um compromisso com alguém nascido em uma das seguintes datas:

Amor & amizade: jan: 2, 7, 10, 17, 22, 27, 31; fev: 5, 8, 15, 25; mar: 3, 6, 13, 23; abr: 1, 4, 11, 16, 21; mai: 2, 9, 19, 23; jun: 7, 12, 17, 23; jul: 5, 15, 29, 31; ago: 3, 13, 27, 29, 31; set: 1, 11, 25, 27, 29; out: 4, 9, 13, 23, 25, 27; nov: 7, 21, 23, 25; dez: 5, 19, 21, 23

Relacionamentos benéficos: jan: 3, 5, 20, 25, 27; fev: 1, 3, 18, 23, 25; mar: 16, 21, 23; abr: 14, 19, 21; mai: 12, 17, 19; jun: 10, 15, 17; jul: 8, 13, 15; ago: 6, 11, 13; set: 4, 9, 11, 28; out: 2, 7, 9; nov: 5, 7, 24; dez: 3, 5

Atrações fatais: jan; 13; fev: 11; mar: 9; abr: 7; mai: 5; jun: 3; jul: 1, 31; ago: 1, 2

Relacionamentos desafiantes: jan: 16, 24; fev: 14, 22; mar: 12, 20; abr: 10, 18; mai: 8, 16, 31; jun: 6, 14, 24; jul: 4, 12, 27; ago: 12, 10, 25; set: 8, 23; out: 6, 21; nov: 4, 19; dez: 2, 17

Alma gêmea: jan: 16; fev: 14; mar: 12; abr: 10; mai: 8; jun: 6; jul: 4, 31; ago: 2, 29; set: 27; out: 25; nov: 23; dez: 21

30 de Janeiro

O seu dia de aniversário indica que você é um aquariano amigável, entusiástico, voltado para o sucesso, que gosta da liberdade e tem grandes idéias. Assertivo e dinâmico, você tem uma maneira calorosa de lidar com as pessoas e se sente bem em situações sociais. Com o seu intelecto aguçado e sua abordagem racional, você gosta de acumular conhecimento, mas é pela sabedoria que pode alcançar a satisfação emocional.

Com a influência adicional do seu Sol no decanato de Aquário, você é uma pessoa humanitária e liberal, com inclinação à rebeldia. Como pensa de maneira objetiva e tem uma mente inventiva, você pode ter idéias inspiradas e originais e que podem recompensá-lo financeiramente. Com a sua compreensão arguta, você normalmente é capaz de avaliar rapidamente o caráter das outras pessoas e muitas vezes pode estar à frente do seu tempo, devendo apenas evitar radicalismos ou tornar-se teimoso ou crítico.

SOL: AQUÁRIO
DECANATO: AQUÁRIO/URANO
GRAU: 9°-10° AQUÁRIO
MODO: FIXO
ELEMENTO: AR

Você percebe rapidamente as novas tendências e conceitos e gosta de manifestar as próprias idéias. Mesmo que seja confiante e tenha convicções fortes, você pode, ocasionalmente, ter propensão à preocupação ou a agir impulsivamente. A sua necessidade de receber aprovação das outras pessoas ou de ficar em evidência sugere que você gosta de aparecer em público. Você se sente animado ou empolgado quando encontra um interesse que realmente o inspire e pode transmiti-lo para os outros por meio da sua oratória persuasiva.

Até os 20 anos de idade o seu Sol transita pelo signo de Aquário, acentuando questões ligadas à liberdade pessoal, à amizade e de expressão da sua individualidade. Depois dos 21 anos de idade, quando o seu Sol progredido entra no signo de Peixes, você se torna emocionalmente mais sensível, desenvolve um senso maior de concretização dos seus sonhos e tem mais acesso ao seu mundo interior. Aos 51 anos de idade, a sua vida passa por uma outra mudança, quando o seu Sol progredido entra no signo de Áries. Essa influência pode torná-lo mais confiante, assertivo e dinâmico, pois você realmente passa a ser você mesmo.

O Seu Eu Secreto

Altamente intuitivo, você precisa ouvir e confiar no seu guia interior. Isso pode ajudá-lo a encontrar um equilíbrio entre a sua visão e a realidade. Depois que desenvolve um plano de ação para conquistar os seus objetivos, é preciso que você o siga independentemente das dificuldades. O desejo genuíno de dar o melhor de si no seu trabalho pode ajudá-lo a manter-se modesto e respeitável. A sua determinação para ser bem-sucedido pode sempre ajudá-lo a vencer.

Ambicioso, você não gosta de obedecer aos outros e, por isso, sente-se melhor quando ocupa cargos de autoridade. Rápido para perceber as oportunidades que surgem, você tem um grande senso de praticidade e habilidades de organização. Apesar de amigável e astuto, você mostra-se impaciente quando não consegue ser um bom ouvinte ou se tendia facilmente. Contudo, você é capaz de ter um sucesso extraordinário e pode mover montanhas com a sua atitude positiva.

Trabalho & Vocação

A sua compreensão arguta da natureza humana, seu charme e sua habilidade de organização indicam que você tem potencial para prosperar em diversas atividades que envolvam o trato com outras pessoas, seja no mundo dos negócios, da educação ou do governo. Independente, confiante e amigável, você pode usar a sua capacidade natural de liderança em posições executivas, gerenciais ou quando trabalha por conta própria. Você tem disposição para dar tudo de si quando encontra uma área que o interessa e está constantemente se aperfeiçoando. Com as suas idéias criativas e inventivas, você sabe se comunicar e pode ser um bom escritor ou negociador, e ser bem-sucedido no mundo do entretenimento.

ESTRELAS FIXAS

Embora o grau do seu Sol não esteja associado a nenhuma estrela fixa, alguns de seus outros planetas certamente estão. Por meio do seu mapa astrológico, você pode encontrar a posição exata dos planetas na sua data de nascimento e poderá saber quais das estrelas fixas listadas neste livro são relevantes para você.

Numerologia

Criatividade, amizade e sociabilidade são apenas algumas das qualidades associadas ao dia de aniversário número 30. Você gosta da boa vida e de atividades sociais e pode ser excepcionalmente carismático, leal e amigável. Gregário, com bom gosto e senso estético, você pode ser bem-sucedido em todos os tipos de atividades ligadas à arte, ao *design* e à música. Como tem necessidade de se expressar e talento natural com as palavras, você pode explorar o mundo da literatura, da música ou do canto. Como tem sentimentos fortes, estar apaixonado ou sentir-se satisfeito é vital para você. Na sua busca pela felicidade, evite ser preguiçoso, excessivamente indulgente, impaciente ou ciumento, pois isso pode deixá-lo emocionalmente instável. Entre as pessoas do dia 30, muitas terão reconhecimento e fama, especialmente músicos, atores e os que trabalham no mundo do entretenimento. A subinfluência do mês número 1 indica que você é ambicioso e idealista e que tem pensamentos criativos. A sua habilidade para reabilitar idéias antigas dando-lhes vida nova sugere você sabe sintetizar conceitos e expandi-los. Ainda que seja amigável e receptivo, você precisa aprender a ceder e a evitar ser teimoso ou autoritário se deseja que as pessoas apreciem a sua natureza espirituosa e sociável.

Positivo: gosta de se divertir, leal, amigável, bom papo, criativo, sortudo

Negativo: preguiçoso, obstinado, impaciente, temperamental, ciumento, indiferente, desperdício de energia

Amor & Relacionamentos

Individualista e independente, você tem muitos interesses e pode se envolver em diversas atividades. Você em geral deseja se relacionar com pessoas poderosas, bem estabelecidas e autônomas e pode ser que ocasionalmente tenha dificuldades devido a uma incerteza quanto ao que realmente sente. Você precisa de um parceiro trabalhador, no qual possa confiar. Mas pode ser que você considere a sua carreira mais interessante do que os seus relacionamentos e se dedique a buscar a sua realização e ao trabalho duro. Você prefere se relacionar socialmente com pessoas inteligentes e criativas que o estimulem intelectualmente.

ALGUÉM ESPECIAL

Você pode encontrar o seu parceiro ideal e ter um relacionamento amoroso estável com alguém nascido em uma das seguintes datas:

Amor & amizade: jan: 1, 8, 14, 23, 28, 31; fev: 12, 26, 29; mar: 10, 24, 27; abr: 2, 8, 22, 25; mai: 6, 20, 23; jun: 4, 13, 18, 21; jul: 2, 16, 19, 30; ago: 14, 17, 28, 30; set: 12, 15, 26, 28, 30; out: 10, 13, 24, 26, 28; nov: 8, 11, 22, 24; dez: 6, 9, 20, 22, 24

Relacionamentos benéficos: jan: 26; fev: 24; mar: 22; abr: 20; mai: 18; jun: 16; jul: 14; ago: 12; set: 10, 29; out: 8; nov: 6; dez: 4, 22

Atrações fatais: ago: 1, 2, 3, 4

Relacionamentos desafiantes: jan: 3, 25; fev: 1, 23; mar: 21; abr: 19; mai: 17; jun: 15; jul: 13; ago: 11; set: 9; out: 7; nov: 5; dez: 3

Alma gêmea: jan: 3, 10; fev: 1, 8; mar: 6; abr: 4; mai: 2

31 de Janeiro

Rápido e inventivo, o seu dia de aniversário em Aquário revela que você é generoso e criativo e que tem um jeito amigável. Você gosta da liberdade, é independente, e exibe a sua personalidade liberal e humanitária, bem como os seus pontos de vista progressistas. Como é muito inteligente, você tem uma abordagem expansiva e universal que o pode levar a querer viajar e a estudar, pois quer sempre expandir os seus conhecimentos.

Com a influência adicional do seu Sol no decanato de Aquário, você pode ser habilidoso e ter uma grande capacidade de comunicação, seja escrita ou falada. A sua natureza mentalmente ativa e curiosa sugere que você tem talento para o raciocínio objetivo e sabe sintetizar as informações que recebe de qualquer fonte, sempre apresentando-as de modo original. Mesmo que esteja sempre à frente do seu tempo, procure evitar que a sua inclinação à rebeldia o transforme em uma pessoa obstinada ou teimosa.

SOL: AQUÁRIO
DECANATO: GÊMEOS/MERCÚRIO
GRAU: 10°-11° AQUÁRIO
MODO: FIXO
ELEMENTO: AR

Com uma capacidade excepcional de pensamento, e até mesmo uma certa genialidade, você é mentalmente inspirado e pode se tornar bastante excitável. Você tem uma grande capacidade de compreender as pessoas, o que permite que faça observações astutas e profundas a respeito delas. Contudo, como tem tendência a ser impaciente, pode fazer com que se entedie e não persevere e desenvolva o seu potencial único.

Até os 19 anos de idade o seu Sol transita pelo signo de Aquário, acentuando questões ligadas à liberdade, à independência e de expressão da sua individualidade. Depois dos 20 anos de idade, quando o seu Sol progredido entra no signo de Peixes, você se torna mais receptivo, sensível aos seus sentimentos e consciente da sua imagem. Aos 50 anos de idade, a sua vida passa por uma outra mudança, quando o seu Sol progredido entra no signo de Áries, enfatizando o seu espírito de luta e liderança. Pode ser que você deseje romper com o passado, pois se torna uma pessoa mais assertiva e ambiciosa, e queira dar início a novos empreendimentos.

O Seu Eu Secreto

Você tem muita imaginação e poderes criativos. Essas energias devem ser usadas para que tenha liberdade de acompanhar o fluxo das suas idéias originais. Quando confia na sua inspiração e orientação interior, você pode tomar decisões que alteram o curso da sua vida. Tome cuidado para não ficar aquém das suas possibilidades devido à sua preocupação com a sua segurança. Dramático, você tem uma grande necessidade de expressar os seus sentimentos e compartilhar as suas idéias. Se essas necessidades não forem satisfeitas, você pode sentir-se frustrado ou melancólico. Com interesse por um amplo espectro de assuntos, especialmente filosofia, religião, viagens e política, você pode ter pensamentos inspirados ou ser capaz de manter conversas estimulantes.

Você se beneficia muito quando disciplina a sua mente por meio do aprendizado de novas habilidades. Todo conhecimento, seja convencional ou não ortodoxo, pode ser a chave para o seu sucesso. Quando aprende a ser paciente e tolerante e tem algo no qual acredite, você pode manter-se positivo e alcançar resultados extraordinários apesar das dificuldades.

Trabalho & Vocação

A sua inclinação natural para os negócios, combinada com a sua habilidade para organização e gerenciamento, pode ajudá-lo em qualquer carreira profissional. Você gosta de reunir as informações que recebe e tem talento para se comunicar, o que o pode levar a se destacar nas áreas de magistério, ciência ou literatura. Você pode também ser um bom orador ou advogado. Com a sua inclinação humanitária, você tem uma compreensão natural das pessoas e pode sentir-se atraído por atividades ligadas a algum tipo de aconselhamento ou de reformas sociais. As ocupações relacionadas ao público ou a países estrangeiros podem preencher a sua necessidade de variedade e evitar que você se entedie. Criativo e culto, você pode desenvolver os seus dons artísticos e musicais ou entrar no mundo do *show business.*

ESTRELAS FIXAS

Embora o grau do seu Sol não esteja associado a nenhuma estrela fixa, alguns de seus outros planetas certamente estão. Por meio do seu mapa astrológico, você pode encontrar a posição exata dos planetas na sua data de nascimento e poderá saber quais das estrelas fixas listadas neste livro são relevantes para você.

Numerologia

Muita força de vontade, determinação e ênfase na auto-expressão são indicadas pelo dia de aniversário número 31. Você normalmente é incansável e determinado e deseja ter progresso material. Todavia, você precisa aceitar as limitações da vida e construir uma base sólida. Sorte e boas oportunidades são também sugeridas por este dia de aniversário, e você pode ter sucesso transformando as suas horas de lazer em empreendimentos lucrativos. Como é provável que você seja uma pessoa trabalhadora, é crucial que você tenha tempo para se divertir. Você deve evitar a tendência a ser egoísta e excessivamente otimista. A subinfluência do mês número 1 indica que você é intuitivo, multitalentoso e empreendedor. Ainda que seja uma pessoa astuta e tenha uma mente criativa e um grande desejo de ter segurança, é provável que seja uma pessoa inquieta ou impaciente. Quando se mantém positivo e otimista e aprende a seguir o fluxo da vida, você aprende a ser paciente e a prestar atenção aos detalhes. Inovador e dotado de uma mente curiosa, você é normalmente uma pessoa ambiciosa e disposta a trabalhar duro para ter reconhecimento e sucesso. Quando se sente inspirado, você tem idéias originais e uma perspectiva única.

Positivo: sortudo, criativo, original, construtivo, persistente, prático, bom papo, responsável

Negativo: inseguro, impaciente, desconfiado, facilmente desencorajado, falta de ambição, egoísmo, teimosia

Amor & Relacionamentos

Amigável e expansivo, você é uma pessoa espontânea, sociável e com habilidade para atrair os outros. Mas se for inseguro, tome cuidado para não se tornar muito dominador. Criativo e com senso dramático, você gosta de pessoas mentalmente estimulantes e originais, que sabem se expressar. Embora seja dedicado e amoroso, você tem aversão à solidão, o que indica que deve evitar tornar-se excessivamente dependente dos seus parceiros. Você é inteligente e tem opiniões definidas, e gosta de atividades sociais nas quais possa se engajar em debates animados.

ALGUÉM ESPECIAL

A suas chances de amor e de felicidade são maiores com alguém que tenha nascido em uma das seguintes datas:

Amor & amizade: jan: 1, 5, 9, 15, 26, 29, 30; fev: 13, 24, 27, 28; mar: 11, 22, 25, 26; abr: 9, 20, 23, 24; mai: 7, 18, 21, 22; jun: 5, 16, 19, 20; jul: 3, 14, 17, 18, 31; ago: 1, 12, 15, 16, 29, 31; set: 10, 13, 14, 27, 29; out: 8, 11, 12, 25, 27; nov: 6, 9, 10, 23, 25; dez: 4, 7, 8, 21, 23, 29

Relacionamentos benéficos: jan: 1, 2, 10, 14, 27; fev: 8, 12, 25; mar: 6, 10, 23; abr: 4, 8, 21; mai: 2, 6, 19, 30; jun: 4, 17, 28; jul: 2, 15, 26; ago: 13, 24; set: 11, 22, 30; out: 9, 20; nov: 7, 18; dez: 5, 16

Atrações fatais: ago: 2, 3, 4, 5

Relacionamentos desafiantes: jan: 17, 26; fev: 15, 24; mar: 13, 22; abr: 11, 20; mai: 9, 18; jun: 7, 16; jul: 15, 14; ago: 3, 12, 30; set: 1, 10, 28; out: 8, 26, 29; nov: 6, 24, 27; dez: 4, 22, 25

Alma gêmea: jan: 21; fev: 19; mar: 17; abr: 15; mai: 13; jun: 11; jul: 9, 29; ago: 7, 27; set: 5, 25; out: 3, 23; nov: 1, 21; dez: 19

1º de Fevereiro

O seu dia de aniversário em Aquário sugere que a sua individualidade e o seu intelecto criativo são os traços mais fortes da sua personalidade. Com a sua mente aguçada e suas reações rápidas, você gosta de desafios mentais. Você pode vir a ter muito poder por meio do seu próprio trabalho, o que permite que construa uma sólida estrutura e desenvolva a determinação e a disciplina. Essa combinação da sua intuição e praticidade indica que você precisa apenas de pouco esforço para colher recompensas imediatas positivas.

Com a influência adicional do seu Sol no decanato de Gêmeos você tem *flashes* de inspiração natural, o que amplia as suas habilidades mentais superiores. Curioso, você está constantemente acumulando e atualizando o seu conhecimento, de maneira a apresentar as suas idéias de forma estimulante e convincente. Contudo, quando são usadas negativamente, essas mesmas energias podem torná-lo confuso ou facilmente excitável.

SOL: AQUÁRIO
DECANATO: GÊMEOS/MERCÚRIO
GRAU: 11°-12° AQUÁRIO
MODO: FIXO
ELEMENTO: AR

Com um senso dramático sereno, você precisa manter-se em atividade e realizar as coisas, de preferência em uma posição de liderança e defendendo as suas idéias. Você se orgulha das suas realizações e gosta de estimular as pessoas a serem animadas e aventureiras, inspirando-as a agir positivamente. Ambicioso e competitivo, você pode lutar em nome de causas humanitárias e sociais. Tome cuidado para não usar de expedientes para atingir as suas metas em vez de fazer o que sabe ser o certo.

Até os 18 anos de idade o seu Sol transita pelo signo de Aquário, acentuando questões ligadas à liberdade pessoal, à amizade e de expressão da sua individualidade. Aos 19 anos de idade, quando o seu Sol progredido entra no signo de Peixes, você passa a dar mais importância aos seus sonhos e visões e a desenvolver a sua receptividade emocional. Aos 49 anos de idade, a sua vida passa por uma outra mudança, quando o seu Sol progredido entra no signo de Áries. Essa influência acentua a a sua autoconscientização, pois você passa a se sentir mais confiante e assertivo, o que pode inspirá-lo a dar início a novas atividades.

O Seu Eu Secreto

Você é fascinado pelo novo e pelo fora do comum e se recusa a se restringir a maneiras de pensar tradicionais e estreitas. Embora possa às vezes ser teimoso, você pode ser especialmente inventivo quando se sente desafiado. Com a sua compreensão especial do comportamento humano, você se beneficia quando se relaciona com pessoas mais cultas que você e, em troca, está disposto a inspirar os outros.

Com o seu dinamismo mental, você pode ter ações rápidas e decisivas e sabe se livrar de situações difíceis. Como não gosta de nenhum tipo de restrição, você deve aprender a superar ímpetos de raiva ou obstinação que podem causar-lhe problemas. Quando está conectado com a sua poderosa vitalidade interior, você fica ousado, espontâneo e convicto de que vai ser bem-sucedido e alcançar resultados extraordinários. Como este entusiasmo precisa ser autêntico, você deve se concentrar naquilo que realmente motiva o seu espírito.

Trabalho & Vocação

Com o seu carisma, você tem jeito para trabalhar com as pessoas. No mundo dos negócios, você gosta de atividades que sejam definidas e muitas vezes alcança posições gerenciais ou executivas. Amigável e com poder de persuasão, você pode ser especialmente bem-sucedido no mundo das vendas e de promoções. Você prefere carreiras que demandem ação e pensamentos rápidos; a sua coragem pode ajudá-lo a defender causas alheias e a lutar contra a injustiça. Devido à sua constante necessidade de variedade, é aconselhável que você evite trabalhos rotineiros. As suas idéias inventivas podem muitas vezes envolvê-lo em pesquisas progressistas e inovadoras, por meio das quais possa expressar a sua individualidade.

ESTRELA FIXA

Nome da estrela:
Armus

Posição:
11°45'-12°45' de Aquário, entre os anos de 1930 e 2000

Magnitude:
5

Força:
★★

Órb:
1°

Constelação:
Eta Capricórnio

Dias:
1, 2 e 3 de fevereiro

Qualidades da estrela:
Marte/Mercúrio

Descrição:
uma pequena estrela laranja e vermelha, localizada no coração da Cabra.

Numerologia

Como personalidade número 1, você tem inclinação a ser individualista, inovador e corajoso, além de ter muita energia. Muitas vezes, há a necessidade de estabelecer uma forte identidade e desenvolver a assertividade. O espírito pioneiro aqui indicado o encoraja a agir por conta própria, o que o pode estimular a desenvolver a habilidade de executar e liderar. Cheio de entusiasmo e de idéias originais, você pode mostrar às pessoas o caminho adiante. Tendo nascido no dia 1, você também precisa aprender que o mundo não gira ao seu redor; evite a inclinação a ser autocentrado ou ditatorial. A subinfluência do mês número 2 indica que você é altamente receptivo e intuitivo. Você tem uma personalidade forte, ainda que possa ser amigável e sociável, o que sugere que com a idade pode vir a desenvolver o seu potencial único e se tornar mais assertivo e confiante. Você é uma pessoa humanitária, universal e progressista, que está sempre disposta a trabalhar em nome de causas justas. Quando se sente sem fé e não credita no seu eu superior, você pode se sentir inseguro e indeciso. Todavia, com o seu senso de visão e engenhosidade você pode inspirar as outras pessoas, especialmente se usar a sua criatividade e desenvolver a sua perspectiva única.

Positivo: liderança, criatividade, progressismo, vigor, otimismo, fortes convicções, competitivo, independente, gregário

Negativo: ciumento, egotista, antagônico, falta controle, egoísta, instável, impaciente

Amor & Relacionamentos

Embora seja progressista e independente, você deseja ter uma base segura e uma vida doméstica estável. Normalmente, você se sente atraído por pessoas fortes e independentes. Contanto que tenha a liberdade de fazer o que quiser, da forma que quiser, você pode ser um parceiro e amigo leal e confiável. Como é sociável e charmoso, você atrai as pessoas e pode ser muito divertido.

INFLUÊNCIA DA ESTRELA PRIMÁRIA

Armus confere originalidade, inventividade e uma natureza controversa, além de uma mente rápida e habilidade para impressionar as outras pessoas. Armus concede um talento especial para a oratória e respostas rápidas. Esta estrela também adverte contra a tendência a ser brigão ou desagradável e a propensão a uma inquietude interior, que pode provocar instabilidade.

Ligada ao grau do seu Sol, esta estrela concede independência, ações rápidas e mente alerta. É provável que você seja sociável e tenha sucesso por meio do trato com o público geral.

- **Positivo**: senso comum, habilidade de julgamento, oratória impressionante
- **Negativo**: irritabilidade, tensão mental, nervosismo, controvérsia

ALGUÉM ESPECIAL

Para manter-se interessado em um relacionamento duradouro, você pode começar procurando entre as pessoas nascidas nas seguintes datas:

Amor & amizade: jan: 1, 4, 5, 11, 21, 24; fev: 2, 3, 9, 19, 22; mar: 1, 7, 17, 20; abr: 5, 15, 18, 30; mai: 1, 13, 16, 28; jun: 11, 14, 26; jul: 9, 12, 24; ago: 7, 10, 22; set: 5, 8, 20; out: 3, 6, 18; nov: 1, 4, 16; dez: 2, 14

Relacionamentos benéficos: jan: 14, 23, 27; fev: 12, 21, 25; mar: 19, 23; abr: 17, 21; mai: 15, 19; jun: 13, 17; jul: 11, 15, 31; ago: 9, 13, 29; set: 7, 11, 27; out: 9, 25; nov: 3, 7, 23; dez: 1, 5, 21

Atrações fatais: ago: 4, 5, 6, 7

Relacionamentos desafiantes: jan: 17; fev: 15; mar: 13; abr: 11; mai: 9; jun: 7; jul: 5; ago: 3; set: 1

Alma gêmea: jan: 30; fev: 28; mar: 26, 29; abr: 24, 27; mai: 22, 25; jun: 20, 23; jul: 18, 21; ago: 16, 19; set: 14, 17; out: 12, 15; nov: 10, 13; dez: 8, 11

2 de Fevereiro

Independente e voltado para o sucesso, você é um aquariano com fortes traços individuais. A influência do seu dia de aniversário sugere que, com a sua visão expansiva e poderosa imaginação, você tem o pensamento independente e idéias inspiradas. Amigável, sociável e com uma compreensão astuta da natureza humana, você pode ser uma pessoa humanitária e sensível. Intelectualmente criativo, você tem uma mente rápida que o estimula a buscar coisas novas e a estar sempre acumulando conhecimento. Por isso, você deve evitar tornar-se impaciente ou entediar-se com facilidade.

Com a influência adicional do seu Sol no decanato de Gêmeos, você se interessa pelas idéias e inovações mais recentes e tende a exibir o seu espírito livre de um modo não conformista. Espirituoso e divertido, você tem uma conversa inteligente e talento para falar e escrever. Apesar de independente e voluntarioso, você também tem consciência das vantagens de trabalhar cooperativamente com outras pessoas e pode ser um bom membro de equipe quando acredita no que está fazendo. Com uma perspectiva objetiva, você gosta de ser franco e honesto com as outras pessoas e deve tomar cuidado para não se colocar de forma excessivamente neutra e aparentar indiferença.

SOL: AQUÁRIO
DECANATO: GÊMEOS/MERCÚRIO
GRAU: 12°-13° AQUÁRIO
MODO: FIXO
ELEMENTO: AR

Ambicioso e com espírito empreendedor, você normalmente está disposto a trabalhar duro para atingir os seus objetivos. Para você é importante ser profissionalmente bem-sucedido e muitas vezes a sua vida gira em torno do seu trabalho, de projetos especiais e da necessidade de estar constantemente se aperfeiçoando.

Até os 17 anos de idade o seu Sol transita pelo signo de Aquário, acentuando questões ligadas à liberdade, independência e de expressão da sua individualidade. Depois dos 18 anos de idade, quando o seu Sol progredido entra no signo de Peixes, você se torna mais sensível, receptivo e consciente da sua vida emocional. Aos 48 anos de idade, a sua vida passa por uma outra mudança, quando o seu Sol progredido entra no signo de Áries, enfatizando a necessidade de romper com o passado e de se tornar mais ousado e assertivo. Quando o seu Sol progredido entra no signo de Touro, aos 78 anos, você passa a ter uma necessidade maior de estabilidade e segurança prática.

O Seu Eu Secreto

Embora aparente ser assertivo e até mesmo altivo, você no fundo é uma pessoa sensível. Contudo, você pode ser dramático e orgulhoso e, quando descobre que tem algo especial, percebe que tem um talento para oferecer aos outros. Você é um visionário e impressionável, que sabe apreciar cores e sons e encantar os outros por meio de atividades criativas como música, arte ou literatura. Mas, com as suas idéias refinadas e compaixão, você pode desenvolver a sua inclinação natural pela Filosofia ou pelo Misticismo. Se não tiver meios produtivos para canalizar a sua sensibilidade, há o perigo de se tornar propenso a crises de mau humor ou escapismo.

O seu grande desejo de ser honesto está presente em tudo o que faz. Você, genuinamente, quer construir um futuro melhor para si, para as pessoas que ama e para o mundo, o que o pode levar a querer ter uma base segura para seguir adiante.

Trabalho & Vocação

O seu charme e seu magnetismo podem ajudá-lo a ser bem-sucedido em quase todas as carreiras que envolvam o trato com as pessoas. A sua curiosidade pelas pessoas pode levá-lo a explorar temas como psicologia, sociologia ou política. Independente, você prefere ser o seu patrão e ter liberdade no seu trabalho. A sua mente rápida e sua capacidade de comunicação podem levá-lo a se dedicar à literatura ou à educação. Mas a sua sensibilidade pode fazer com que se sinta atraído pelo mundo da música, das artes ou da medicina. Como se entedia com facilidade, será melhor se você tiver um trabalho que envolva variedade ou viagens.

Numerologia

Sensibilidade e grande necessidade de fazer parte de um grupo são sugeridas pelo dia de aniversário número 2. Adaptável e compreensivo, você gosta de atividades cooperativas nas quais possa interagir com os outros. Quando procura agradar as pessoas de que gosta, você corre o risco de se tornar excessivamente dependente. Entretanto, se desenvolver a autoconfiança, você pode superar a tendência a se magoar facilmente com as atitudes e críticas alheias. A subinfluência do mês número 2 indica que você é receptivo e intuitivo. Você tem valores humanitários, é liberal, progressista e tem interesse por pessoas e causas justas. Cooperativo e atencioso, você precisa de estabilidade e gosta de ordem. Voltado para a sua segurança, você sabe planejar o futuro e fazer projetos de longo prazo. Ainda que seja uma pessoa idealista, a maneira pragmática com que aborda a vida lhe dá um bom senso para os negócios e habilidade de ter sucesso material. Como é abençoado com sexto sentido, a sua percepção a respeito das pessoas em geral se mostra correta; assim, é melhor aprender a confiar nos próprios sentimentos.

Positivo: boas parcerias, gentileza, tato, receptividade, intuição, agilidade, consideração, harmonia, agradável, embaixador da boa vontade

Negativo: desconfiado, excesso de sensibilidade, egoísmo, engano

ESTRELAS FIXAS

Dorsum; Armus

ESTRELA PRIMÁRIA

Nome da estrela:
Dorsum

Posição:
12°51'-13°50' de Aquário, entre os anos de 1930 e 2000

Magnitude:
4

Força:
★★★★

Órb:
1°30'

Constelação:
Theta Capricórnio

Dias:
2, 3 e 4 de fevereiro

Qualidades da estrela:
Júpiter/Saturno

Descrição:
uma pequena estrela branca e azul, localizada nas costas da Cabra.

Amor & Relacionamentos

Sociável e amigável, você gosta de atividades em grupo e de conhecer novas pessoas. Ambicioso e trabalhador, você precisa de segurança, o que indica que é leal e protetor. Porém, a indecisão e a preocupação podem fazer com que venha a nutrir dúvidas quanto aos próprios sentimentos e quanto à escolha do seu parceiro. As preocupações quanto a questões de ordem financeira podem provocar estresse nos seus relacionamentos. Mesmo sendo sensível, você pode, nos seus relacionamentos românticos, aparentar ser distante ou prático demais.

INFLUÊNCIA DA ESTRELA PRIMÁRIA

Dorsum confere habilidade para alcançar os objetivos por meio da perseverança e da paciência. Muitas vezes uma pessoa habilidosa, você pode ser bem-sucedido em assuntos públicos.
Ligada ao grau do seu Sol, esta estrela concede um progresso lento mas estável e, muitas vezes, associado à responsabilidade. Dorsum o encoraja a explorar e a desenvolver a sua habilidade de escrever.

- **Positivo**: senso de dever, diplomacia, disposição para servir
- **Negativo**: tensão, insatisfação, falta de paciência

Consulte o Apêndice para obter mais informações acerca das estrelas fixas.

ALGUÉM ESPECIAL

Se estiver procurando alguém especial, você pode ter mais sorte com as pessoas nascidas nas seguintes datas:

Amor & amizade: jan: 3, 14, 24, 28; fev: 1, 12, 22; mar: 10, 20; abr: 8, 18; mai: 6, 16, 31; jun: 4, 14, 18, 29; jul: 2, 12, 27; ago: 10, 25, 31; set: 8, 23, 29; out: 6, 10, 21, 27; nov: 4, 19, 25; dez: 2, 17, 23

Relacionamentos benéficos: jan: 1, 11; fev: 9; mar: 7, 28; abr: 5, 26, 30; mai: 3, 24, 28; jun: 1, 22, 26; jul: 20, 24; ago: 18, 22; set: 16, 20, 30; out: 14, 18, 28; nov: 12, 16, 26; dez: 10, 14, 24

Atrações fatais: ago: 4, 5, 6, 7

Relacionamentos desafiantes: jan: 17, 20; fev: 15, 18; mar: 13, 16; abr: 11, 14; mai: 9, 12; jun: 7, 10; jul: 5, 8; ago: 3, 6; set: 1, 4; out: 2

Alma gêmea: jul: 29; ago: 27; set: 25; out: 23, 31; nov: 21, 29; dez: 19, 27

3 de Fevereiro

O seu dia de aniversário indica que você é um aquariano independente e com habilidade social. Original e amigável, você tem uma capacidade natural de compreender a natureza humana. O seu fascínio pelas pessoas o encoraja a se relacionar bem com pessoas de diferentes círculos sociais na sua busca pelo estímulo criativo e auto-realização. Impressionável, você tem consciência da sua imagem e gosta de um toque de *glamour*. Embora seja normalmente brilhante, com talento para encantar as pessoas, você precisa aprender a esquecer o passado e a não se apegar às frustrações ou aos desapontamentos. Isso pode fazer com que você sofra ou seja excessivamente sério.

Com a influência adicional do seu Sol no decanato de Gêmeos, você tem *flashes* de inspiração que ampliam as suas habilidades mentais superiores. A sua excelente habilidade de comunicação indica que você tem uma oratória persuasiva e um talento especial com as palavras. Mentalmente aguçado e receptivo a novas idéias, você está muitas vezes à frente do seu tempo. Objetivo nos seus pontos de vista, você quer sempre aprender mais e mais.

SOL: AQUÁRIO
DECANATO: GÊMEOS/MERCÚRIO
GRAU: 13°-14° AQUÁRIO
MODO: FIXO
ELEMENTO: AR

Com magnetismo pessoal, você muitas vezes irradia individualidade. O companheirismo e a amizade são especialmente importantes na sua vida e, muitas vezes, você tem uma abordagem humanitária ou pouco convencional dos seus relacionamentos. Com a sua sensibilidade sutil e seu desejo de transcender o nível mundano, você possui percepções elevadas de luz, cores, forma e sons, o que o leva a se dedicar a atividades artísticas, musicais ou espirituais.

Na sua juventude, você pode ter sofrido uma influência repressora de uma figura paterna. Entre os 17 e os 46 anos de idade, quando o seu Sol transita pelo signo de Peixes, você se torna mais sensível e imaginativo. Nessa fase, você desenvolve a sua imaginação e visão e passa a ter mais acesso ao seu mundo interior. Aos 47 anos de idade, a sua vida passa por uma outra mudança, quando o seu Sol progredido entra no signo de Áries, e você se torna mais confiante, assertivo e ambicioso, sendo até possível que venha a dar início a novos projetos ou atividades. Quando o seu Sol progredido entra no signo de Touro, aos 77 anos, você passa a ter uma necessidade maior de estabilidade e segurança prática.

O Seu Eu Secreto

Quando a sua grande força de vontade é positivamente canalizada, você pode enfrentar todas as dificuldades e alcançar um sucesso extraordinário. Com habilidade para liderar, você pode canalizar o seu grande poder emocional interior para conquistar posições de autoridade e influência. A sua sensibilidade aos que estão à sua volta sugere que você precisa de uma base sólida e de um ambiente pacífico e harmonioso.

Quando está com uma disposição positiva, você é uma pessoa trabalhadora, diligente e responsável, com habilidade de ser meticuloso. Capaz de ser universal e desapegado, você quer realizar os seus ideais e ajudar os outros, o que o pode ajudar a superar possíveis períodos de instabilidade ou confusão. Ainda que possa ocasionalmente aparentar ser altivo para proteger-se, você pode também ser caloroso, ter sentimentos profundos e compaixão.

Trabalho & Vocação

É normalmente por intermédio da expressão das suas idéias originais e perspectiva única que você pode alcançar um grande sucesso. Como é uma pessoa amigável, você precisa de boas relações profissionais e tem habilidade para fazer contatos. Isso pode ajudá-lo no mundo das vendas ou de relações públicas, em particular devido à sua compreensão natural daquilo que o público deseja. Com o seu talento natural para lidar com as palavras, você pode ser um bom escritor e pode sentir-se atraído por atividades criativas. Seja nas áreas científica, criativa ou dos negócios, você pode ser bem-sucedido especialmente quando trabalha em algo que acredita. Mas, com a sua capacidade de compreensão da natureza humana, você também pode sentir-se atraído por atividades com crianças ou assistência social.

ESTRELAS FIXAS

Dorsum; Armus

ESTRELA PRIMÁRIA

Nome da estrela:
Dorsum
Posição:
12°51'-13°50' de Aquário, entre os anos de 1930 e 2000
Magnitude:
4
Força:
★★★★
Órb:
1°30'
Constelação:
Theta Capricórnio
Dias:
2, 3 e 4 de fevereiro
Qualidades da estrela:
Júpiter/Saturno
Descrição:
uma pequena estrela branca e azul, localizada nas costas da Cabra.

Numerologia

Com o dia de aniversário número 3, você tem necessidade de se expressar criativa e emocionalmente. Amante das diversões e uma boa companhia, você gosta de atividades sociais com os amigos e tem muitos interesses. Apesar de versátil e expressivo, com necessidade de ter experiências diferentes e interessantes, a inclinação para se entediar com facilidade pode provocar indecisão ou vontade de abarcar o mundo com as pernas. Como número 3 você é artístico e charmoso, dotado de um bom senso de humor, mas precisa desenvolver a auto-estima e evitar a tendência à preocupação e à insegurança emocional. A subinfluência do mês número 2 indica que você é receptivo e idealista, com talento para lidar com as pessoas. Ambicioso mas charmoso, você sabe usar as suas habilidades diplomáticas e personalidade amigável. A sua necessidade de expressar os seus talentos sugere que você pode ser dramático e dinâmico quando tem uma meta ou propósito. Mesmo que seja normalmente uma pessoa generosa e gentil, você pode, às vezes, sentir-se frustrado ou impaciente, o que o pode levar a reagir com exagero ou a agir impulsivamente, resultando em comportamentos extravagantes e indulgentes.

Positivo: bem-humorado, feliz, amigável, produtivo, criativo, artístico, amante da liberdade, talento com as palavras

Negativo: entedia-se com facilidade, exagerado, extravagante, auto-indulgente, preguiçoso, hipócrita

Amor & Relacionamentos

Embora tenha emoções poderosas e um grande desejo de amor, você precisa de independência e liberdade para se expressar. Você tem charme e carisma, o que permite que se sinta à vontade nos seus relacionamentos românticos. Você tem consciência da imagem que transmite e gosta de causar uma boa impressão. Como é espontâneo, você pode, ocasionalmente, ser a grande sensação. As pessoas se sentem atraídas pela sua personalidade brilhante e pelo seu magnetismo. Os homens nascidos neste dia têm uma atração especial por mulheres independentes e enérgicas.

INFLUÊNCIA DA ESTRELA PRIMÁRIA

Dorsum confere habilidade para alcançar os objetivos por meio da perseverança e da paciência. Muitas vezes uma pessoa habilidosa, você pode ser bem-sucedido em assuntos públicos.
Ligada ao grau do seu Sol, esta estrela concede um progresso lento mas estável e, muitas vezes, associado à responsabilidade. Dorsum o encoraja a explorar e a desenvolver a sua habilidade de escrever.

- **Positivo**: senso de dever, diplomacia, disposição para servir
- **Negativo**: tensão, insatisfação, falta de paciência

Consulte o Apêndice para obter mais informações acerca das estrelas fixas.

ALGUÉM ESPECIAL

Pode ser mais fácil para você ter relacionamentos felizes com as pessoas nascidas nas seguintes datas:

Amor & amizade: jan: 8, 17, 19; fev: 15, 17; mar: 13, 15; abr: 11, 13; mai: 9, 11; jun: 7, 9, 30; jul: 5, 7, 28, 30; ago: 3, 5, 26, 28; set: 1, 3, 24, 26; out: 1, 22, 24; nov: 20, 22; dez: 18, 20, 30

Relacionamentos benéficos: jan: 20, 29; fev: 18, 27; mar: 16, 25; abr: 14, 23; mai: 12, 21; jun: 10, 19; jul: 8, 17; ago: 6, 15; set: 4, 13; out: 2, 11, 29; nov: 9, 27; dez: 7, 25

Atrações fatais: mar: 29; abr: 27; mai: 25; jun: 23; jul: 21; ago: 5, 6, 7, 8, 19; set: 17; out: 15; nov: 13; dez: 11

Relacionamentos desafiantes: jan: 14, 20, 27; fev: 12, 25; mar: 10, 23; abr: 8, 21; mai: 6, 19; jun: 4, 10, 23; jul: 2, 15; ago: 13; set: 11; out: 2, 9; nov: 7; dez: 5

Alma gêmea: jun: 30; jul: 28; ago: 26; set: 24; out: 22, 29; nov: 20, 27; dez: 18, 25

4 de Fevereiro

O seu dia de aniversário indica que você é um aquariano amigável, mas determinado, ambicioso e com idéias originais. Com força de vontade e capacidade para trabalhar duro, você pode enfrentar um conflito entre o seu materialismo e os seus ideais. A sua grande força emocional juntamente com o seu senso natural para os negócios permitem que você seja um idealista prático.

A influência adicional do seu Sol no decanato de Gêmeos permite que você comunique as suas idéias de forma realista, dinâmica e convincente. Inteligente e inventivo, você apreende rapidamente as informações que recebe e tem espirituosidade, boa capacidade de julgamento e poder de raciocínio. Como é muito independente, não gosta que a sua liberdade seja controlada, mas pode correr o risco de se tornar dominador quando tenta fazer as coisas do seu jeito.

SOL: AQUÁRIO
DECANATO: GÊMEOS/MERCÚRIO
GRAU: 14°-15° AQUÁRIO
MODO: FIXO
ELEMENTO: AR

Determinado e empreendedor, dotado de habilidade organizacional, você tem o poder de concretizar qualquer projeto. Contudo, seria melhor evitar a tendência a se sobrecarregar. Naturalmente direto, com os próprios valores, você é uma interessante mistura de opostos e normalmente tem uma personalidade dura mas charmosa. O seu desejo de ter dinheiro, poder e prestígio é normalmente contrabalançado por uma forte inclinação humanitária que pode lhe dar uma compreensão rápida das pessoas e da sociedade como um todo.

Entre os 16 e os 45 anos de idade, quando o seu Sol transita pelo signo de Peixes, você se torna mais sensível, receptivo e consciente das questões de ordem emocional. Aos 46 anos de idade, a sua vida passa por uma outra mudança, quando o seu Sol progredido entra no signo de Áries, enfatizando a necessidade de romper com o passado e se tornar mais ousado e assertivo. Na meia-idade você passa a ter mais habilidade para levar adiante grandes projetos, tomando decisões mais decisivas e fortes. Quando o seu Sol progredido entra no signo de Touro, aos 76 anos, você passa a ter uma necessidade maior de estabilidade e de segurança prática.

O Seu Eu Secreto

A sua fachada confiante muitas vezes esconde as suas inseguranças e a sua necessidade de amor. Quando expressa a sua criatividade natural, seja por meio da maneira como aborda a vida, de atividades artísticas ou com amigos, você pode evitar a indecisão ou a preocupação. Naturalmente dramático, você tem necessidade de liderar ou de participar do que acontece à sua volta. Inteligente, você não tem paciência com pessoas entediantes. O orgulho pode lhe dar um senso de nobreza natural ou trabalhar contra você caso se torne muito teimoso ou voluntarioso.

O conhecimento desempenha um importante papel na sua vida e é vital para a sua busca interior. Com capacidade de resistência, necessidade de reconhecimento e um forte senso de dever, você é tenaz na realização das suas ambições. Se usar o seu excelente senso de intuição nos seus assuntos de natureza prática, você é capaz de estabelecer uma base sólida a partir da qual pode construir o que deseja na vida. Honesto e direto, com objetivos claros, paciência e perseverança, você é capaz de ter sucesso a longo prazo.

Trabalho & Vocação

A sua determinação e a consciência do poder e da estrutura podem lhe dar um senso natural para os negócios. Com as suas idéias originais e inventivas, você pode ser bem-sucedido em diversas áreas. Com uma boa capacidade de comunicação, você pode sentir-se atraído por literatura, educação, mundo editorial ou meios de comunicação. Há também a possibilidade de você vir a se interessar pelo palco ou pela política. Como é um psicólogo natural, você pode usar esta qualidade em todas as carreiras profissionais, inclusive na área dos negócios, ou pode se especializar como terapeuta. Você é uma pessoa com valores humanitários e pode se interessar por movimentos sociais, e as ocupações que envolvam pessoas podem desempenhar um papel importante na sua vida.

ESTRELA FIXA

Nome da estrela:
Dorsum

Posição:
12°51'-13°50' de Aquário, entre os anos de 1930 e 2000

Magnitude:
4

Força:
★★★★

Órb:
1°30'

Constelação:
Theta Capricórnio

Dias:
2, 3 e 4 de fevereiro

Qualidades da estrela:
Júpiter/Saturno

Descrição:
uma pequena estrela branca e azul, localizada nas costas da Cabra.

Numerologia

A sólida estrutura e o poder de organização sugeridos pelo dia de aniversário número 4 indicam que você precisa de estabilidade e ordem. Dotado de energia, habilidades práticas e muita determinação, você pode ser bem-sucedido se estiver disposto a trabalhar duro. Preocupado com a sua segurança, você quer ter uma sólida base para si mesmo e para a sua família. A maneira pragmática com que encara a vida lhe confere um bom senso para os negócios e habilidade de alcançar o sucesso material. Como um indivíduo número 4, você é uma pessoa honesta, franca e justa. Entre os desafios colocados ao indivíduo número 4 destacam-se períodos de instabilidade e preocupação financeira. A subinfluência do mês número 2 indica que você é receptivo e idealista. Normalmente, a vida doméstica e familiar é importante para você. Você pode se beneficiar por meio de bens imobiliários e propriedades. Embora seja trabalhador, você gosta de levar uma vida boa e pode ser auto-indulgente. Às vezes, a sua generosidade e natureza protetora podem ir longe demais e podem ser interpretadas pelas pessoas como interferência. Mas, você pode ser leal e um bom parceiro ou pai protetor.

Positivo: bem organizado, disciplinado, firme, trabalhador, habilidade com as mãos, pragamático, confiável, preciso

Negativo: instável, comportamento destrutivo, pouco comunicativo, reprimido, preguiçoso, pouco afetivo, procrastinação, muito econômico, autoritário, ressentido

Amor & Relacionamentos

Ainda que aparente ser uma pessoa expansiva e amigável, você deve tomar cuidado para não ser autoritário ou dominador. As suas aspirações quanto aos seus relacionamentos românticos e de amizade podem estar ligadas às suas ambições profissionais. Normalmente, você se sente atraído por líderes ou pessoas poderosas com conexões sociais. Leal e responsável, você pode ser uma torre de força para os que estão à sua volta.

INFLUÊNCIA DA ESTRELA PRIMÁRIA

Dorsum confere habilidade para alcançar os objetivos por meio da perseverança e da paciência. Muitas vezes uma pessoa habilidosa, você pode ser bem-sucedido em assuntos públicos.
Ligada ao grau do seu Sol, esta estrela concede um progresso lento mas estável e, muitas vezes, associado à responsabilidade. Dorsum o encoraja a explorar e a desenvolver a sua habilidade de escrever.

- **Positivo**: senso de dever, diplomacia, disposição para servir
- **Negativo**: tensão, insatisfação, falta de paciência

ALGUÉM ESPECIAL

A sua chance de ter um bom relacionamento romântico é maior com as pessoas nascidas nas seguintes datas:

Amor & amizade: jan: 4, 8, 9, 16, 18, 26, 31; fev: 2, 7, 14, 16, 24, 29; mar: 4, 5, 12, 14, 22, 27; abr: 3, 10, 12, 20, 25; mai: 1, 8, 10, 18, 23; jun: 6, 8, 16, 21; jul: 4, 6, 14, 19, 31; ago: 2, 4, 12, 17, 29; set: 2, 10, 15, 27; out: 8, 13, 25; nov: 6, 11, 23; dez: 4, 9, 21, 30

Relacionamentos benéficos: jan: 1, 21; fev: 19; mar: 17; abr: 15; mai: 13; jun: 10, 11; jul: 9; ago: 7; set: 5; out: 2, 3, 30; nov: 1, 28; dez: 26

Atrações fatais: ago: 7, 8, 9, 10

Relacionamentos desafiantes: mar: 29; abr: 27; mai: 25; jun: 23; jul: 21; ago: 19; set: 17; out: 15; nov: 13; dez: 11

Alma gêmea: jan: 27; fev: 25; mar: 23, 30; abr: 21, 28; mai: 19, 26; jun: 17, 24; jul: 15, 22; ago: 13, 20; set: 11, 18; out: 9, 16; nov: 7, 14; dez: 5, 12

5 de Fevereiro

O seu dia de aniversário revela que você é uma pessoa objetiva, intuitiva, forte e com uma personalidade original. Você é inteligente e tem *flashes* de inspiração; a sua constante curiosidade acerca da vida e das pessoas está ligada à sua necessidade de mudança e variedade, o que o ajuda a desenvolver idéias únicas. Porém, seria melhor evitar que a inquietude ou a tendência a hesitar emocionalmente acabe por arruinar o seu extraordinário potencial.

Com a subinfluência do regente do seu decanato, Gêmeos, você tem reações mentais rápidas e habilidade para tomar decisões quase que instantaneamente. Receptivo a novas idéias, você muitas vezes é progressista e está à frente do seu tempo. Você está sempre querendo aprender e tem uma boa capacidade de comunicação e talento para escrever. Mesmo que tenha pontos de vista objetivos, você deve evitar a tendência a ser muito distante e a fazer com que as outras pessoas o achem frio. Contudo, como tem uma visão humanitária e independente, você sabe o quanto é vantajoso trabalhar cooperativamente com os outros e pode ser um bom membro de equipe quando acredita em um projeto.

SOL: AQUÁRIO
DECANATO: GÊMEOS/MERCÚRIO
GRAU: 15°-16° AQUÁRIO
MODO: FIXO
ELEMENTO: AR

Com uma visão avançada da vida, você valoriza o conhecimento e a liberdade e se preocupa com movimentos de natureza social. O seu pensamento autônomo pode às vezes fazer com que confronte as situações de forma direta, mas você pode usar esta inclinação para se destacar em debates e discussões. Apesar de seu interesse por religião e espiritualidade, é mais provável que tenha o seu sistema de crenças. Com um toque de genialidade, você também deve ter consciência da sua tendência a ser impaciente, teimoso ou temperamental. As atividades físicas podem ter o poder de cura sobre o seu sistema nervoso e torná-lo mais relaxado e agradável.

Quando jovem, você é muito rápido para aprender e reagir. Entre os 15 e 44 anos de idade, quando o seu Sol transita pelo signo de Peixes, a sua sensibilidade emocional é enfatizada e você desenvolve a sua imaginação, o que pode encorajá-lo a ter metas criativas, criativas ou espirituais. Aos 45 anos de idade, a sua vida passa por uma outra mudança, quando o seu Sol progredido entra no signo de Áries, e você passa a ter uma maior necessidade de ser assertivo, ativo e direto na sua vida cotidiana, sendo até possível que venha a dar início a novos empreendimentos. Quando o seu Sol progredido entra no signo de Touro, aos 75 anos, você passa a ter uma necessidade maior de estabilidade e segurança.

O Seu Eu Secreto

Multitalentoso, você tem uma perspectiva única de diferentes áreas da vida. Ainda que às vezes você tenha problemas com pessoas que não têm o seu nível de conscientização, você precisa ter paciência. Talvez seja também necessário se disciplinar e ter fé nas suas habilidades para aproveitar ao máximo os seus talentos e potencial. A compreensão inata dos valores permite que você aconselhe os outros, seja em nível psicológico ou material.

Como é uma pessoa sensível, com um sistema nervoso altamente delicado, você precisa de períodos de solidão para dedicar-se à introspecção ou regenerar as suas forças. Esses períodos podem inspirá-lo em termos musicais, artísticos, teatrais ou místicos. Quando evita preocupações relacionadas a questões de ordem financeira ou frustração por querer viver acima dos seus meios, você é capaz de desfrutar o poder das suas emoções dinâmicas e, com energia e generosidade, pode encantar e impressionar os outros.

Trabalho & Vocação

ESTRELAS FIXAS

Embora o grau do seu Sol não esteja associado a nenhuma estrela fixa, alguns de seus outros planetas certamente estão. Por meio do seu mapa astrológico, você pode encontrar a posição exata dos planetas na sua data de nascimento e poderá saber quais das estrelas fixas listadas neste livro são relevantes para você.

Como tem boa capacidade de organização, você tem potencial para alcançar posições elevadas. Você tem uma grande habilidade mental e de comunicação e pode ser um excelente professor, conselheiro, psicólogo ou reformador social. Mesmo que tenha um senso aguçado para os negócior e possa ser bem-sucedido quando lida com o dinheiro alheio, você pode ter mais interesse por carreiras que envolvam criatividade e imaginação, como literatura, teatro ou arte. Por outro lado, o seu amor pela liberdade e sua necessidade de testar a própria habilidade mental pode levá-lo a ter o seu próprio negócio. Mas, com a sua inclinação humanitária, você pode vir a se envolver com organizações voltadas para o bem público.

Numerologia

Muita intuição, natureza aventureira e desejo de liberdade são indicados pelo dia de aniversário número 5. A disposição para explorar e experimentar coisas novas, juntamente com uma maneira entusiástica de encarar as coisas, sugere que a vida tem muito a lhe oferecer. Viagens e diversas oportunidades de mudança, algumas inesperadas, podem levá-lo a uma verdadeira transformação dos seus pontos de vista e crenças. Como um indivíduo número 5, você precisa sentir empolgação pela vida, mas deve também desenvolver uma atitude responsável e evitar a tendência à imprevisibilidade, ao excesso e à inquietude. Você pode ser bem-sucedido se evitar agir de forma prematura e procurar ser paciente. O talento natural do indivíduo número 5 é saber acompanhar o fluxo e manter-se neutro e distante. A subinfluência do mês número 2 indica que você é diplomático e que tem uma natureza amigável sociável. Você tem talento para lidar com as pessoas, mas pode, ocasionalmente, ser reservado e desconfiado. No entanto, você gosta de colaborar com os outros, especialmente quando pode combinar o trabalho com o prazer. Intuitivo e adaptável, você em geral é cortês e sensível aos sentimentos das outras pessoas. Você prospera quando é encorajado e precisa manter-se mentalmente ocupado.

Positivo: versátil, adaptável, progressista, fortes instintos, magnético, sortudo, ousado, amante da liberdade, rápido e espirituoso, curioso, místico, sociável

Negativo: pouco confiável, procrastinador, inconsistente, excessivamente confiante

Amor & Relacionamentos

Com o seu charme, sua espirituosidade e sua habilidade para animar e inspirar as outras pessoas, você normalmente tem muitos amigos e uma vida social bem-sucedida. Em termos românticos, você se sente atraído por pessoas inteligentes e com personalidade forte. Como busca estímulo mental e romance, para você o companheirismo está ligado ao trabalho ou a atividades sociais de orientação intelectual. Embora tenha atração por pessoas poderosas e inteligentes, seria melhor evitar ser muito autoritário com os seus parceiros.

ALGUÉM ESPECIAL

Pode ser mais fácil ter amor e companheirismo com alguém que tenha nascido em uma das seguintes datas:

Amor & amizade: jan: 21, 28, 29, 31; fev: 19, 26, 29; mar: 17, 24, 27; abr: 3, 15, 22, 25; mai: 13, 20, 23; jun: 11, 18, 19, 21; jul: 9, 16, 19; ago: 7, 14, 17, 31; set: 5, 12, 15, 29; out: 3, 10, 11, 13, 27, 29, 31; nov: 1, 8, 11, 25, 27, 29; dez: 6, 9, 23, 25, 27

Relacionamentos benéficos: jan: 9, 12, 18, 24, 29; fev: 7, 10, 16, 22, 27; mar: 5, 8, 14, 20, 25; abr: 3, 6, 12, 18, 23; mai: 1, 4, 10, 16, 21, 31; jun: 1, 2, 8, 14, 19, 29; jul: 6, 12, 17, 27; ago: 4, 10, 15, 25; set: 2, 8, 13, 23; out: 6, 11, 21; nov: 4, 9, 19; dez: 2, 7, 17

Atrações fatais: jan: 3; fev: 1; ago: 7, 8, 9, 10

Relacionamentos desafiantes: jan: 7, 8, 19, 28; fev: 5, 6, 17, 26; mar: 3, 4, 15, 24; abr: 1, 2, 13, 22; mai: 11, 20; jun: 9, 18; jul: 7, 16; ago: 5, 14; set: 3, 12; out: 1, 10; nov: 8; dez: 6

Alma gêmea: jan: 3, 19; fev: 1, 17; mar: 15; abr: 13; mai: 11; jun: 9; jul: 7; ago: 5; set: 3; out: 1

6 de Fevereiro

Com o seu dia de aniversário em Aquário, você é uma pessoa carismática, amigável, idealista e dotada de habilidade diplomática natural. Socialmente inclinado e charmoso, você pode também ser reservado, responsável e ter uma atitude séria. Você possui senso mundano mas é importante não desprezar a sua compreensão ou visão intuitiva. O seu desejo de ampliar os seus conhecimentos indica que você está constantemente aprendendo e é por meio deste aprendizado que você pode desenvolver a auto-disciplina necessária para aproveitar o seu extraordinário potencial.

Com a subinfluência adicional do regente do seu decanato, Gêmeos, você é uma pessoa inteligente e que possui uma boa capacidade de comunicação. Independente e objetivo nos seus pontos de vista, você tem capacidade de julgamento e de raciocínio. A combinação da sua habilidade persuasiva com as suas habilidades práticas pode também ajudá-lo a atingir o sucesso.

SOL: AQUÁRIO
DECANATO: GÊMEOS/MERCÚRIO
GRAU: 16°-17° AQUÁRIO
MODO: FIXO
ELEMENTO: AR

Como é uma pessoa responsável e trabalhadora, você muitas vezes é convidado a assumir o comando de projetos ou a ajudar os outros. Mas o seu grande desejo de paz e harmonia pode, às vezes, levá-lo a querer deixar as coisas como estão. Felizmente, o sucesso material normalmente o motiva a agir.

Entre os 14 e os 43 anos de idade, quando o seu Sol transita pelo signo de Peixes, a sua sensibilidade emocional é enfatizada, tornando-o uma pessoa mais imaginativa, receptiva e consciente da sua vida social. Você se torna mais visionário ou mediúnico, interessado em desenvolver os seus talentos criativos. Aos 44 anos de idade, a sua vida passa por uma outra mudança, quando o seu Sol progredido entra no signo de Áries. Nessa fase, a sua ambição e determinação se tornam mais aparentes e você passa a ter uma personalidade mais assertiva e a se envolver com novos projetos e idéias originais. Quando o seu Sol progredido entra no signo de Touro, aos 74 anos de idade, você passa a ter uma necessidade maior de estabilidade, de segurança e de serenidade emocional.

O Seu Eu Secreto

Com interesse por reformas sociais, você possui uma consciência humanitária que leva a atividades em colaboração com outras pessoas. Você sabe perceber as vantagens de trabalhar em nome de ideais progressistas de grupo. Mas você também pode ser uma pessoa voluntariosa e em algumas ocasiões precisa aprender a diferenciar entre a teimosia e a perseverança. Quando mantém uma atitude liberal e desapegada, você pode evitar uma aparência de frieza ou de indiferença. Você precisa aprender a aguardar para evitar períodos de frustração ou desapontamento. Contudo, você é uma pessoa responsável que tem habilidade para inspirar e encantar os outros e que muitas vezes busca um mundo ideal ou a verdadeira sabedoria.

Muito do que precisa aprender na vida está ligado à sua vida profissional. As parcerias têm um papel importante na sua vida e saber compartilhar é a chave para o seu sucesso. Você de um modo geral sabe se relacionar individualmente com as outras pessoas; entretanto, para não ficar com medo ou sério demais, é importante saber equilibrar o trabalho cooperativo com os outros e a sua independência.

Trabalho & Vocação

O seu grande senso de justiça o inspira a lutar por direitos iguais e boas condições de trabalho para si e para os outros, o que o pode levar a se envolver com o mundo da política e com a sua comunidade. Em qualquer carreira que escolha, você precisa exercitar a sua habilidade para lidar com as pessoas. Com muita habilidade para se comunicar, ensinar ou inspirar outras pessoas, você pode se interessar pelas áreas de educação, pesquisa ou reformas sociais. Se não utilizar o lado humanitário ou político da sua natureza, a sua capacidade de cativar audiências pode levá-lo ao mundo do entretenimento.

Numerologia

Compaixão, idealismo e natureza atenciosa são algumas das qualidades sugeridas pelo dia de aniversário número 6. Este é o número do perfeccionista ou do amigo universal e que indica que você é muitas vezes uma pessoa humanitária, responsável e amorosa. Com o dia de aniversário número 6, você gosta do ambiente doméstico e é um pai dedicado. Os que são mais sensíveis precisam encontrar uma forma de expressão criativa e sentem-se atraídos pelo mundo da arte e do *design*. Você precisa desenvolver a autoconfiança e superar a tendência a interferir na vida das pessoas, a se preocupar e a ter solidariedade pelas pessoas erradas. A subinfluência do mês número 2 indica que você é intuitivo, cortês e idealista. Como é receptivo e adaptável, você no fundo é uma pessoa com valores humanitários. Quando colabora com outras pessoas, você é trabalhador e prático e muitas vezes compartilha com elas a sua sorte e compreensão.

⬆ **Positivo**: mundano, fraternidade universal, amigável, compassivo, confiável, compreensivo, solidário, idealista, inclinação doméstica, humanitário, equilibrado, artístico

⬇ **Negativo**: insatisfeito, tímido, pouco razoável, teimoso, franco, desarmônico, perfeccionista, dominador, falta de responsabilidade, desconfiado, cínico, autocentrado, interferência na vida alheia

ESTRELAS FIXAS

Embora o grau do seu Sol não esteja associado a nenhuma estrela fixa, alguns de seus outros planetas certamente estão. Por meio do seu mapa astrológico, você pode encontrar a posição exata dos planetas na sua data de nascimento e poderá saber quais das estrelas fixas listadas neste livro são relevantes para você.

Amor & Relacionamentos

Você normalmente se sente atraído por pessoas que acompanhem o seu fluxo de idéias e entusiasmo ou que sejam inventivos e bem-sucedidos. Quando se apaixona por alguém, você tem muita disposição para dar a sua contribuição para que o relacionamento dê certo. Com atração por pessoas inteligentes, você precisa de um parceiro inteligente e bem-informado. A sua personalidade carismática garante que você tem muitos amigos e contatos sociais. O casamento e a estabilidade são muitas vezes elementos importantes na sua visão de vida.

ALGUÉM ESPECIAL

Você pode ter felicidade e companheirismo com as pessoas nascidas nas seguintes datas:

Amor & amizade: jan: 6, 20, 22, 24, 28, 30; fev: 4, 18, 20, 22, 28; mar: 2, 16, 18, 20, 26, 29; abr: 14, 16, 18, 24, 27; mai: 12, 14, 16, 22, 25; jun: 10, 12, 14, 18, 20, 23; jul: 8, 10, 12, 18, 21; ago: 6, 8, 10, 16, 19; set: 4, 6, 8, 14, 17, 29; out: 2, 4, 6, 12, 15; nov: 2, 4, 10, 13, 25; dez: 2, 8, 11

Relacionamentos benéficos: jan: 1, 3, 4, 14, 23; fev: 1, 2, 12; mar: 10, 28; abr: 8, 17, 26, 30; mai: 6, 24, 28; jun: 4, 22, 26; jul: 2, 20, 24; ago: 18, 22; set: 16, 20; out: 14, 18; nov: 12, 16; dez: 10, 14

Atrações fatais: jan: 11; fev: 9; mar: 7; abr: 5; mai: 3; jun: 1; jul: 8, 9, 10, 11

Relacionamentos desafiantes: jan: 3, 5; fev: 1, 3; mar: 1; jul: 31; ago: 29; set: 27, 30; out: 25, 28; nov: 23, 26, 30; dez: 21, 24, 28

Alma gêmea: jan: 5, 12; fev: 3, 10; mar: 1, 8; abr: 6; mai: 4; jun: 2

7 de Fevereiro

O seu dia de aniversário em Aquário revela que você é uma pessoa original, progressista e com capacidade mental aguçada. Entusiástico, inventivo e humanitário, você adora a liberdade e se beneficia quando explora diversas possibilidades e assuntos interessantes. Contudo, tome cuidado para que isso não se transforme em uma inquietação nervosa que o impeça de desenvolver os seus talentos.

Com a subinfluência do regente do seu decanato, Gêmeos, você é curioso por natureza e tem o dom do pensamento objetivo ou da pesquisa científica. Você tem habilidade para se comunicar e sabe fazer observações argutas a respeito das pessoas. O seu senso expansivo e universal pode inspirá-lo a viajar ou a estudar, pois você sempre quer aprender mais e mais. Essa curiosidade mental pode também levá-lo a apresentar os seus pensamentos de maneira convincente, um talento que pode ser usado literariamente. No entanto, a sua tendência a se entediar com facilidade pode obstruir a sua perseverança e, conseqüentemente, o desenvolvimento do seu potencial único.

SOL: AQUÁRIO
DECANATO: GÊMEOS/MERCÚRIO
GRAU: 17°-18° AQUÁRIO
MODO: FIXO
ELEMENTO: AR

O desapego e a universalidade são a chave para a resolução de muitos dos seus problemas. Tome cuidado, porém, para evitar a inflexibilidade e os sentimentos de frustração e impaciência, pois eles podem minar a sua determinação para realizar as suas metas e ambições. Para atingir os seus objetivos, você pode se beneficiar quando combina a sua grande imaginação e seu idealismo com o intelecto aguçado.

Entre os 13 e os 42 anos de idade, quando o seu Sol transita pelo signo de Peixes, a sua sensibilidade emocional é enfatizada e você desenvolve uma vida interior mais significativa. Isso pode se refletir nas suas visões, nos seus sonhos e ideais, bem como na sua vida social. Aos 43 anos de idade, a sua vida passa por uma outra mudança, quando o seu Sol progredido entra no signo de Áries, fazendo com que você passe a considerar importante tomar a iniciativa e ser corajoso e direto nos seus relacionamentos com as outras pessoas. Mas é possível também que você venha a desenvolver a sua capacidade de se relacionar. A sua vida passa por outra transformação aos 73 anos de idade, quando o seu Sol progredido entra no signo de Touro, enfatizando a necessidade de abordar a vida e a sua segurança material de maneira mais prática.

O Seu Eu Secreto

As suas emoções fortes e o calor humano sugerem que você é uma pessoa que gosta de compartilhar as suas experiências com os outros. Cortês e amigável, você tem habilidade diplomática natural e sabe deixar as pessoas à vontade. Você tem um carisma que o faz irradiar amor e positividade, o que enfatiza a importância de encontrar meios para se expressar. Todavia, devido aos seus fortes sentimentos, você precisa ter equilíbrio e evitar reações exageradas. Você tem charme e, com o seu poder de amor, precisa apenas encontrar atividades ou relacionamentos que o preencham e extraiam o que há de melhor em você.

Honesto e direto, você pode ser uma excelente companhia e possui habilidade natural para ajudar as outras pessoas. Além de charme, você também tem ambição e espírito empreendedor. Mesmo que essas qualidades muitas vezes o levem a buscar oportunidades e a se manter em atividade, você também tem necessidade de segurança e de construir uma base sólida. Para ter harmonia, você precisa planejar as suas ações e usar a sua capacidade de organização.

Trabalho & Vocação

ESTRELAS FIXAS

Embora o grau do seu Sol não esteja associado a nenhuma estrela fixa, alguns de seus outros planetas certamente estão. Por meio do seu mapa astrológico, você pode encontrar a posição exata dos planetas na sua data de nascimento e poderá saber quais das estrelas fixas listadas neste livro são relevantes para você.

Com o seu desejo de empolgação e mudança, o melhor é que você evite um trabalho monótono. As carreiras que envolvem coisas diferentes ou viagens são as ideais para o seu espírito de aventura. Você pode ser um bom vendedor, com habilidade para promover idéias, pessoas ou produtos. Com a sua grande imaginação e a necessidade de se expressar, você pode disciplinar a sua inquietude interior por meio da literatura, do teatro ou da arte. Mas, você pode combinar a sua receptividade e habilidade analítica no mundo da ciência ou da pesquisa. Com a sua forte inclinação humanitária, você pode sentir-se atraído por carreiras que envolvam reformas sociais, como política ou educação. A sua compaixão natural pode levá-lo ao mundo da medicina ou das terapias alternativas.

Numerologia

Analítico e ponderado, o indivíduo número 7 é muitas vezes crítico e concentrado nos próprios interesses. Com uma necessidade constante de ter uma maior autoconsciência, você gosta de reunir informações e se interessa por ler, escrever e em assuntos espirituais. Apesar de astuto, você corre o risco de racionalizar em excesso ou se perder em detalhes. A tendência a ser enigmático ou reservado sugere que você pode ocasionalmente se sentir mal interpretado. A subinfluência do mês número 2 indica que você é altamente intuitivo e sensível. A sua aversão à monotonia indica que, ocasionalmente, você pode se tornar impaciente e tenso. A sua inquietude emocional sugere que você gosta de coisas empolgantes e que precisa de muita atividade. Progressista e liberal, você tem interesse por pessoas e muitas vezes se envolve em atividades cooperativas. Como prospera quando é encorajado, você precisa se cercar de pessoas que o apóiem a perseverar ou o ajudem quando precisa. Tome cuidado com pessoas que podem desfazer das suas habilidades, mas ouça o que os outros têm a dizer antes de tomar as suas decisões.

Positivo: culto, confiável, meticuloso, idealista, honesto, habilidades psíquicas, mente científica, racional, reflexivo

Negativo: engano, falta de amizade, desconfiança, ceticismo, confusão, desapego

Amor & Relacionamentos

Muito sensível no que diz respeito aos assuntos do coração, você deve ser cuidadoso ao escolher as pessoas com as quais se relaciona e evitar a impulsividade. Quando se apaixona, você realmente se entrega e mantém-se leal mesmo nos períodos difíceis ou de sacrifício. As suas elevadas expectativas podem, ocasionalmente, levá-lo ao desapontamento se as pessoas não corresponderem aos seus ideais. Quando aprende a se manter neutro, você pode evitar as possíveis frustrações. Você se sente atraído por pessoas inteligentes, mas é melhor escolher um parceiro que seja tão humanitário e liberal quanto você.

ALGUÉM ESPECIAL

Você pode ter sorte no amor com alguém que tenha nascido em uma das seguintes datas:

Amor & amizade: jan: 1, 7, 11, 21, 23, 31; fev: 5, 19, 21, 29; mar: 3, 17, 19, 27; abr: 1, 15, 17, 25; mai: 3, 17, 19, 27; jun: 11, 13, 21; jul: 9, 11, 19; ago: 7, 9, 17; set: 5, 7, 15; out: 3, 5, 13; nov: 1, 3, 11, 27; dez: 1, 9, 24

Relacionamentos benéficos: jan: 5, 16, 18; fev: 3, 14, 16; mar: 1, 12, 14, 29; abr: 10, 12, 27; mai: 8, 10, 25, 29; jun: 6, 8, 23, 27; jul: 4, 6, 21, 26; ago: 2, 4, 19, 23; set: 2, 17, 21; out: 15, 19; nov: 13, 17; dez: 11, 15, 29

Atrações fatais: jan: 6, 30; fev: 4, 28; mar: 2, 26; abr: 24; mai: 22; jun: 20; jul: 9, 10, 11, 12, 16; set: 14; out: 12; nov: 10; dez: 8

Relacionamentos desafiantes: jan: 4; fev: 2; mai: 29, 31; jun: 27, 29; jul: 25, 27, 28; ago: 23, 25, 26, 30; set: 21, 23, 24, 28; out: 19, 21, 22, 26; nov: 17, 19, 20, 24; dez: 15, 17, 18, 22

Alma gêmea: jan: 23; fev: 21; mar: 19; abr: 17; mai: 15; jun: 13; jul: 11, 31; ago: 9, 29; set: 7, 27; out: 5, 25; nov: 3, 23; dez: 1, 21

8 de Fevereiro

Sociável e amigável, você tem uma individualidade voluntariosa que o identifica como um aquariano charmoso, carismático e com pontos de vista definidos. Generoso e direto, você precisa da companhia de outras pessoas e gosta de aproveitar a vida. Rápido para perceber as oportunidades que surgem, você tem uma perspectiva pragmática e capacidade de organização, qualidades que, combinadas com energia e determinação, inspiram-no a pensar em grandes termos e a transmitir uma imagem de sucesso.

Com a subinfluência do regente do seu decanato, Gêmeos, você adora se comunicar, seja escrevendo ou falando. Com uma capacidade excepcional de pensamento, você tem habilidade para acumular informações e conhecimento oriundos de várias fontes e de apresentar as suas idéias de maneira original e divertida. Com um toque de genialidade, você pode ser mentalmente inspirado e ser tomado por uma grande agitação. Muitas vezes à frente do seu tempo, você tem idéias progressistas e inventivas. A sua inclinação à rebeldia pode se manifestar na sua aparência ou estilo de vida, mas às vezes ela pode ser um tanto problemática, especialmente se você se tornar uma pessoa excêntrica ou teimosa.

SOL: AQUÁRIO
DECANATO: GÊMEOS/MERCÚRIO
GRAU: 18°-19° 30' AQUÁRIO
MODO: FIXO
ELEMENTO: AR

Como é confiante e amigável, você tem sorte em atividades que envolvam o trato com outras pessoas. Com a sua mentalidade astuta, você pode aprender rapidamente novas habilidades, mas a tendência a se entediar com facilidade sugere que, devido à sua dificuldade em ouvir, você pode ter mal-entendidos com outras pessoas. Porém, como procura ter relacionamentos harmônicos, você tem intuição quanto às pessoas e ao ambiente que o cerca.

Entre os 12 e os 41 anos de idade, quando o seu Sol transita pelo signo de Peixes, a sua sensibilidade emocional se amplia e você desenvolve um maior senso de visão. Isso pode encorajá-lo a buscar metas idealistas, artísticas ou espirituais. Aos 42 anos de idade, a sua vida passa por uma outra mudança, quando o seu Sol progredido entra no signo de Áries, aumentando a sua necessidade de ser mais assertivo, ativo e de direcionar a sua vida cotidiana. Quando o seu Sol progredido entra no signo de Touro, aos 72 anos, você passa a ter uma necessidade maior de estabilidade financeira e segurança.

O Seu Eu Secreto

Você prospera quando acumula conhecimentos que sente que irão ampliar o seu poder pessoal. Inteligente e dotado de habilidade executiva, você é ambicioso e entusiástico quando encontra um assunto ou projeto que realmente o interessa. Com capacidade de se realizar e ser bem-sucedido, você pode mover montanhas com a sua atitude positiva, embora precise aprender a desenvolver a humildade para evitar ser arrogante. Você é uma pessoa criativa e tem talento natural para liderar, o que o pode levar a atividades como música, arte, literatura ou teatro, áreas nas quais pode se destacar.

Caloroso, generoso e com bom senso, você é capaz de dar aos outros ajuda e apoio práticos e úteis. Você quer construir bases sólidas para as suas realizações e está disposto a trabalhar duro para atingir as suas metas. Entretanto, você deve tomar cuidado com a tendência a deixar-se levar pelos confortos da vida, pois isso pode desviá-lo dos seus elevados objetivos e ideais.

Trabalho & Vocação

Com o seu espírito empreendedor, seu vigor e sua habilidade para lidar com as pessoas, você não tem problemas para criar a sua carreira profissional. Contudo, como é independente, você normalmente não gosta de obedecer ordens e pode preferir trabalhar por conta própria ou prefere seguir uma carreira na qual tenha bastante liberdade. Prático e com senso de organização, você quer construir uma base sólida, que possa lhe ser útil em atividades como empresário ou gerente. Sua habilidade para comunicar-se pode ajudá-lo nas áreas de vendas, publicidade ou dos meios de comunicação. Mas o seu senso dramático pode levá-lo ao mundo do entretenimento, no qual você pode ser bem-sucedido como ator, diretor ou escritor.

ESTRELA FIXA

Nome da estrela:
Castra

Posição:
19°30'-20°12' de Aquário, entre os anos de 1930 e 2000

Magnitude:
4

Força:
★★★★

Órb:
1°30'

Constelação:
Epsilon Capricórnio

Dias:
8, 9 e 10 de fevereiro

Qualidades da estrela:
Júpiter/Saturno

Descrição:
uma pequena estrela amarelo-laranja, localizada na barriga da Cabra.

Numerologia

O poder sugerido pelo dia de aniversário número 8 mostra uma personalidade com fortes valores e capacidade de julgamento. O número 8 indica que você aspira a grandes realizações e tem uma natureza ambiciosa. O desejo de dominação, segurança e sucesso material também é indicado por este dia de aniversário. Como uma pessoa número 8, você tem uma aptidão natural para os negócios e se beneficiará muito se desenvolver as suas habilidades executivas e de organização. A sua grande necessidade de se sentir seguro ou estabelecido o impele a fazer planos e investimentos a longo prazo. A subinfluência do mês número 2 indica que você é receptivo e altamente intuitivo. Apesar de ser amigável, sociável e ter talento para lidar com as pessoas, você, normalmente, é uma pessoa confiante e bastante independente. Todavia, você tem consideração e é sensível aos sentimentos das outras pessoas e é, muitas vezes, cortês e romântico. Altamente intuitivo e original, você é ambicioso, criativo e tem uma grande necessidade de expressar a sua sensibilidade emocional. Ainda que em muitas ocasiões o seu bom senso lhe indique o que é correto, evite ser arrogante ou excessivamente crítico.

Positivo: liderança, meticulosidade, trabalhador, tradicional, autoridade, proteção, poder de cura, bom julgamento de valores

Negativo: impaciente, desperdiçador, intolerante, pão-duro, excesso de trabalho, desencoraja-se facilmente, falta de planejamento, controlador

Amor & Relacionamentos

Prático, com bom senso e amor pelas coisas boas da vida, você sabe como divertir a si mesmo e aos outros. Normalmente, você gosta de se associar a pessoas ambiciosas, trabalhadoras e voltadas para o sucesso. Como é orgulhoso e preocupado com a sua segurança, o prestígio e o dinheiro podem ser fatores importantes nos seus relacionamentos. Com muito gosto e amor pela beleza, você aprecia a qualidade. Você gosta de ter gestos magnânimos de generosidade pelas pessoas que aprecia e é um amigo valioso.

INFLUÊNCIA DA ESTRELA PRIMÁRIA

Castra confere capacidade de liderança, assertividade e proeminência em atividades públicas. Esta estrela também sugere que a paciência e o trabalho duro podem levá-lo ao sucesso, mas que o comportamento destrutivo pode resultar em fracassos.
Ligada ao grau do seu Sol, Castra concede honrarias em atividades literárias e realização em atividades ligadas à educação superior. Pode ser também que você tenha interesse por Filosofia ou Astrologia. Esta estrela pode também conferir intuição e poderes psíquicos.

- **Positivo**: perseverança, ambição, pensamento filosófico
- **Negativo**: falta de confiança, pessimismo

ALGUÉM ESPECIAL

Para ter um relacionamento duradouro, você pode ter sorte no amor com alguém que tenha nascido em uma das seguintes datas:

Amor & amizade: jan: 8, 14, 17, 20, 22, 24; fev: 6, 15, 18, 20, 22; mar: 4, 13, 16, 18, 20; abr: 2, 8, 11, 14, 16, 18; mai: 9, 12, 14, 16; jun: 4, 7, 10, 12, 13, 14; jul: 5, 8, 10, 12, 30; ago: 3, 6, 8, 10, 28; set: 1, 4, 6, 8, 26; out: 2, 4, 6, 24; nov: 2, 4, 22; dez: 2, 20

Relacionamentos benéficos: jan: 6, 23; fev: 4, 21; mar: 2, 19, 30; abr: 17, 28; mai: 15, 26, 30; jun: 13, 24, 28; jul: 11, 22, 26; ago: 9, 20, 24; set: 7, 18, 22; out: 5, 16, 20; nov: 3, 14, 18; dez: 1, 12, 16, 30

Atrações fatais: jan: 7; fev: 5; mar: 3; abr: 1; ago: 10, 11, 12, 13

Relacionamentos desafiantes: jan: 5, 26, 29; fev: 3, 24, 27; mar: 1, 22, 25; abr: 20, 23; mai: 18, 21; jun: 16, 19, 30; jul: 14, 17, 28; ago: 12, 15, 26, 31; set: 10, 13, 24, 29; out: 8, 11, 22, 27; nov: 6, 9, 20, 25; dez: 4, 7, 18, 23

Alma gêmea: jan: 30; fev: 28; mar: 26; abr: 24; mai: 22; jun: 20; jul: 18; ago: 16; set: 14; out: 12, 31; nov: 10, 29; dez: 8, 27

9 de Fevereiro

Criativo e original, você é um aquariano amigável dotado de uma personalidade independente. Mentalmente rápido e receptivo, você pode ser persuasivo e carismático. A sua natureza intuitiva e humanitária lhe dá uma perspectiva de vida única e sugere que você é sociável e um bom observador do comportamento humano. Multitalentoso e com muitas escolhas, é aconselhável que você evite preocupar-se ou ficar indeciso, pois isso pode minar a sua confiança e sugar a sua energia vital.

Devido à subinfluência do regente do seu decanato, Gêmeos, você possui uma maneira inventiva de resolver os problemas. Com idéias liberais e pouco convencionais, você pode ter *flashes* de imaginação. Como precisa de liberdade, você pode, ocasionalmente, aparentar ser distante, levando as outras pessoas a a achar que é frio ou indiferente.

SOL: AQUÁRIO
DECANATO: GÊMEOS/MERCÚRIO
GRAU: 19°30'-20°30' AQUÁRIO
MODO: FIXO
ELEMENTO: AR

Como gosta de inovar a partir de idéias ultrapassadas, é provável que as suas idéias progressistas estejam à frente do seu tempo. Mesmo que a sua inspiração possa alçá-lo a grandes alturas, é necessário ter disciplina mental para evitar uma queda. A combinação da sua compreensão universal e de seu potencial místico natural pode, no entanto, ser desenvolvida, o que pode dar-lhe sabedoria de vida.

O seu magnetismo pessoal e a necessidade de mudanças constantes sugerem que você fará muitos contatos e terá diversas experiências na vida, inclusive no exterior. Devido aos seus muitos interesses você corre o risco de desperdiçar as suas energias, mas você tem capacidade de manter-se concentrado e dedicar-se ao trabalho quando se compromete com um projeto ou atividade.

Entre os 11 e os 40 anos de idade, quando o seu Sol transita pelo signo de Peixes, a sua sensibilidade emocional e sua imaginação são ampliadas. Isso pode torná-lo mais impressionável ou consciente da sua vida social, dos seus sonhos e talentos criativos ou espirituais. Aos 41 anos de idade, a sua vida passa por uma outra mudança, quando o seu Sol progredido entra no signo de Áries, enfatizando a sua necessidade de tomar iniciativas e, provavelmente, levando-o a dar início a novos empreendimentos ou a lançar idéias progressistas. Quando o seu Sol progredido entra no signo de Touro, aos 71 anos, você passa a ter uma necessidade maior de estabilidade e de abordar a vida de maneira prática.

O Seu Eu Secreto

O seu forte desejo de harmonia pode se refletir no amor à vida doméstica e familiar. Você pode, às vezes, ter uma atitude protetora com relação às pessoas à sua volta, na sua tentativa de ajudá-las a resolver suas dificuldades. Mesmo que tenha a melhor das intenções, você precisa aprender a não absorver a vida das outras pessoas, mas deixá-las lidar com os próprios problemas. Você progride quando toma ações decisivas, por isso é importante definir o seu senso de propósito e aceitar a responsabilidade dos seus desafios mais difíceis para realizar o seu verdadeiro potencial.

Você tem uma jovialidade que o acompanhará até o fim da sua vida. Como tem consciência da imagem que transmite aos outros e quer ter o próprio estilo, você pode explorar a sua criatividade por meio de atividades artísticas. Embora deseje a harmonia e tenha ideais utópicos, é por intermédio das suas responsabilidades que você pode ter resultados duradouros.

Trabalho & Vocação

Com um pensamento independente e compassivo, você pode seguir uma carreira nas áreas de Magistério, Literatura, Psicologia ou Reformas Sociais. Multitalentoso, você pode obter uma maior satisfação se realizar a sua vocação e não apenas por meio de recompensa financeira. As viagens e mudanças podem desempenhar um importante papel na sua vida profissional e no seu estilo de vida. Se decidir seguir uma carreira no serviço público, você pode sentir-se atraído pelas áreas da administração, da advocacia, da política ou do serviço público. Como possui talento para entrar em contato com os sonhos coletivos e anseios geracionais, você pode explorar a sua criatividade por meio da arte, do teatro, do *design* ou da tecnologia.

ESTRELA FIXA

Nome da estrela:
Castra

Posição:
19°30'-20°12' de Aquário, entre os anos de 1930 e 2000

Magnitude:
4

Força:
★★★★

Órb:
1°30'

Constelação:
Epsilon Capricórnio

Dias:
8, 9 e 10 de fevereiro

Qualidades da estrela:
Júpiter/Saturno

Descrição:
uma pequena estrela amarelo-laranja, localizada na barriga da Cabra.

Numerologia

Benevolência, ponderação e sensibilidade emocional estão associadas ao dia de aniversário número 9. Tolerante e gentil, você é na maior parte das vezes generoso e liberal. A sua intuição e seu poder psíquico indicam uma receptividade universal que, se for positivamente canalizada, pode inspirá-lo a buscar o caminho espiritual. Esse dia de aniversário sugere a necessidade de superar desafios e a tendência a ser excessivamente sensível e ser passível de instabilidade emocional. Você pode se beneficiar de viagens internacionais e da interação com pessoas de diversos círculos sociais, mas deve evitar os sonhos irrealistas ou a inclinação ao escapismo. A subinfluência do mês número 2 indica que você é receptivo e sensível, mas a sua tendência à hesitação sugere que você precisa manter uma perspectiva equilibrada. Para se realizar e ser bem-sucedido, você precisa encontrar algo que realmente o inspire a desenvolver os seus talentos. Como é versátil, você tem muitos interesses, e a sua natureza independente indica a necessidade de liberdade para ser espontâneo e mentalmente criativo.

Positivo: idealista, humanitário, criativo, sensível, generoso, magnético, poético, caridoso, desapegado, sortudo, popular

Negativo: frustrado, fragmentado, egoísta, pouco prático, facilmente levado, complexo de inferioridade, preocupação

Amor & Relacionamentos

Como é amigável e sociável, você tem habilidade para atrair diversos tipos de pessoas. Como alterna entre ser muito generoso e expressivo e aparentar uma certa frieza, você precisa estabelecer o equilíbrio e a harmonia nos seus relacionamentos. Você tem atração por pessoas inteligentes e, por isso, é benéfico compartilhar algum tipo de atividade intelectual ou interesse com o seu parceiro. Você tem uma mentalidade moderna e pode encarar os seus relacionamentos de maneira pouco usual ou alternativa.

INFLUÊNCIA DA ESTRELA PRIMÁRIA

Castra confere capacidade de liderança, assertividade e proeminência em atividades públicas. Esta estrela também sugere que a paciência e o trabalho duro podem levá-lo ao sucesso, mas que o comportamento destrutivo pode resultar em fracassos.
Ligada ao grau do seu Sol, Castra concede honrarias em atividades literárias e realização em atividades ligadas à educação superior. Pode ser também que você tenha interesse por Filosofia ou Astrologia. Esta estrela pode também conferir intuição e poderes psíquicos.

- **Positivo**: perseverança, ambição, pensamento filosófico
- **Negativo**: falta de confiança, pessimismo

ALGUÉM ESPECIAL

Você pode ter mais sorte e se divertir com alguém que tenha nascido em uma das seguintes datas:

Amor & amizade: jan: 7, 9, 23, 25, 27; fev: 5, 7, 21, 23, 25; mar: 5, 19, 21, 23, 29; abr: 3, 17, 19, 21, 27, 30; mai: 1, 15, 17, 19, 25, 28; jun: 3, 13, 15, 17, 23, 26; jul: 11, 13, 15, 21, 24; ago: 9, 11, 13, 19, 22; set: 7, 9, 11, 17, 20; out: 5, 7, 9, 15, 18; nov: 3, 5, 7, 13, 16, 28; dez: 1, 3, 5, 11, 14

Relacionamentos benéficos: jan: 2, 4, 7, 26; fev: 2, 5; mar: 3; abr: 1; mai: 31; jun: 16, 29; jul: 27, 31; ago: 25, 29; set: 23, 27; out: 21, 25; nov: 19, 23; dez: 17, 21

Atrações fatais: jan: 8, 14; fev: 6, 12; mar: 4, 10; abr: 2, 8; mai: 6; jun: 4; jul: 2; ago: 11, 12, 13, 14

Relacionamentos desafiantes: jan: 6, 19, 29; fev: 4, 17, 27; mar: 2, 15, 25; abr: 13, 23; mai: 11, 21; jun: 9, 19; jul: 7, 17; ago: 5, 15; set: 3, 13, 30; out: 1, 11, 28; nov: 9, 26; dez: 7, 24, 29

Alma gêmea: jan: 16, 21; fev: 14, 19; mar: 12, 17; abr: 10,15; mai: 8, 13; jun: 6, 11; jul: 4, 9; ago: 2, 7; set: 5; out: 3; nov: 1

10 de Fevereiro

Gentil e trabalhador, você é um aquariano com força de vontade e bom senso. O seu carisma e sua habilidade para lidar com as pessoas em nível individual sugerem que você possui habilidade diplomática natural e sabe trabalhar em equipe. Mesmo que seja prático e goste de se manter ocupado, você é também uma pessoa sensível e com uma imaginação vívida.

Devido à subinfluência do regente do seu decanato, Libra, você tem charme e uma grande intuição em relação às pessoas. Como um observador da natureza humana, você tem um nível de consciência que se amplia com a idade. Apesar de independente, você precisa se manter em contato com as pessoas e se sente satisfeito quando pode ajudá-las. Com a sua perspectiva autônoma, você precisa de liberdade e não gosta de ser reprimido. Inventivo, você tem uma percepção poderosa e é excelente para solucionar problemas.

SOL: AQUÁRIO
DECANATO: LIBRA/VÊNUS
GRAU: 20°-21°30' AQUÁRIO
MODO: FIXO
ELEMENTO: AR

Embora às vezes possa ter tendência à irritação e ser um tanto teimoso, em outras ocasiões você pode encantar as pessoas com a sua sensibilidade, atenção e compaixão. Com uma abordagem ativa e realista, você também tem ideais elevados e um grande senso de visão. Quando tem uma noção clara do que quer realizar, sente-se motivado para agir. Para manter-se sintonizado com as situações, é aconselhável que você regularmente reveja os seus planos de vida. Quando leva uma vida equilibrada, você pode evitar situações restritivas ou mecanismos escapistas.

Entre os 10 e os 39 anos de idade, quando o seu Sol transita pelo signo de Peixes, a sua sensibilidade emocional se amplia e você desenvolve uma maneira de lidar com os seus sentimentos. Nessa fase, você pode sentir-se encorajado a buscar a realização de seus sonhos. Aos 40 anos de idade, a sua vida passa por uma outra mudança, quando o seu Sol progredido entra no signo de Áries, e você passa a ter mais necessidade de ser assertivo, ativo e direto na sua vida cotidiana, sendo possível que venha dar início a novos empreendimentos. Quando o seu Sol progredido entra no signo de Touro, aos 70 anos, você passa a ter uma necessidade maior de estabilidade financeira e segurança e um apreço maior pela natureza.

O Seu Eu Secreto

Ainda que seja amigável e diplomático, você também possui poder e determinação. Responsável e bom organizador, dotado de nobreza interior e orgulho, você, muitas vezes, ocupa posições importantes ou assume o comando de outras pessoas. Com o seu intelecto aguçado e astuto, você tem um estilo direto e honesto que as pessoas interpretam como confiança natural. Como é altamente intuitivo, você normalmente trabalha melhor quando confia nas primeiras impressões que tem tanto das pessoas quanto das situações.

As suas responsabilidades podem se estender à sua casa e à sua família, que têm um papel importante na sua vida. O seu grande desejo de paz e harmonia pode às vezes fazer com que você reprima a raiva. Se isso acontecer, você pode sofrer de tensão emocional, mau humor ou medo do desconhecido. Quando aprende a confrontar os seus sentimentos e ansiedades, você pode explorar outras áreas e manter-se em movimento. Quando tem a oportunidade de expandir os seus horizontes, você é capaz de manter o equilíbrio entre a sua necessidade de ajudar os outros com as suas habilidades e desenvolver atividades novas e interessantes.

Trabalho & Vocação

Independente e inteligente, você quer ter liberdade para fazer o que quiser. Você não gosta de receber ordens, por isso se sai melhor quando ocupa posições gerenciais. Como é uma pessoa intuitiva, você sabe julgar o caráter dos outros e, com o seu excelente senso para os negócios, tem habilidade para fazer negociações. Você sabe comprar e vender e pode sentir-se atraído pelo mundo dos negócios, como vendedor ou negociador. O seu talento para lidar com as pessoas sugere que você pode ser bem-sucedido como político, servidor público ou administrador. Com o seu desejo para ajudar as outras pessoas, você pode dedicar-se a atividades de caridade, religiosas ou espirituais, ou ainda, a ajudar os deficientes. Criativo, você pode dedicar-se ao teatro, aos esportes, à música, à arte e à fotografia. A sua natureza inventiva pode inspirá-lo a trabalhar em pesquisas ou com novas tecnologias.

ESTRELAS FIXAS

Nashira; Castra

ESTRELA PRIMÁRIA

Nome da estrela:
Nashira
Posição:
20°48'-21°45' de Aquário, entre os anos de 1930 e 2000
Magnitude:
4
Força:
★★★★
Órb:
1°30'
Constelação:
Gama Capricórnio
Dias:
10, 11, 12 e 13 de fevereiro
Qualidades da estrela:
Saturno/Júpiter
Descrição:
uma pequena estrela localizada no rabo da Cabra.

Numerologia

Como as pessoas que têm o dia de aniversário número 1, você tem grandes ambições e se esforça para realizá-las, mas talvez precise, antes, superar alguns obstáculos. Vigoroso e original, você defende aquilo em que acredita mesmo quando os outros não concordam. A sua habilidade para dar início às coisas com um espírito pioneiro o encoraja a viajar por lugares distantes e a se arriscar sozinho. Talvez precise aprender que o mundo não gira ao seu redor e evitar ser egoísta e ditatorial. O sucesso e a realização são fatores importantes para todas as pessoas que nascem no dia 10, e, muitas vezes, você chega ao topo da sua profissão. A subinfluência do mês número 2 indica que você é intuitivo e adaptável e que tem uma personalidade amigável. Contudo, às vezes, você pode ficar confuso devido ao excesso de opções. Quando usa a sua habilidade diplomática e sociabilidade, você pode se beneficiar muito com atividades colaborativas. Embora seja ambicioso, a sua tendência a depender de outras pessoas pode minar a sua capacidade de decisão. Como uma pessoa atenciosa e sensível, você pode ser receptivo aos sentimentos alheios.

Positivo: liderança, criatividade, progressismo, vigor, otimismo, fortes convicções, competitividade, independência, espírito gregário

Negativo: arrogância, ciúme, egotismo, antagonismo, falta de controle, egoísmo, hesitação, impaciência

Amor & Relacionamentos

Como é uma pessoa amigável, você gosta de atividades sociais e colaborativas, especialmente quando pode contribuir com alguma coisa de valor. Como se beneficia por meio das suas parcerias, é importante dominar a arte da diplomacia e da negociação. Como gosta de conforto, você valoriza a segurança; contudo, a sua necessidade de inspiração muitas vezes o encoraja a buscar relacionamentos que envolvam algum tipo de desafio intelectual. No caso de se deixar levar pelo excesso de sensibilidade, você pode ficar propenso a oscilações de humor ou mal-entendidos com as outras pessoas, devido à falta de comunicação. Normalmente, você é um parceiro leal com que os outros podem contar em termos de amor e de apoio.

INFLUÊNCIA DA ESTRELA PRIMÁRIA

Nashira confere sucesso e habilidade para superar obstáculos e outros desafios. Muitas vezes, esta estrela concede uma natureza cautelosa e sugere que a paciência é recompensada e que o sucesso é alcançado depois das dificuldades.
Ligada ao grau do seu Sol, Nashira concede habilidade para escrever, gerenciar e executar e sucesso no trato com o público. Embora esta estrela possa indicar lutas, o sucesso obtido é duradouro e há a possibilidade de posições importantes depois de uma certa idade.

Positivo: resistência, paciência, cautela
Negativo: sentimentos tensos, insatisfação, irritabilidade

Consulte o Apêndice para obter mais informações acerca das estrelas fixas.

ALGUÉM ESPECIAL

Para realização emocional e encontrar aquele alguém especial, você pode começar procurando entre as pessoas nascidas nas seguintes datas:

Amor & amizade: jan: 10, 14, 26, 28; fev: 8, 24, 26; mar: 6, 22, 24, 30; abr: 4, 8, 20, 22, 28; mai: 2, 18, 20, 26, 29; jun: 4, 16, 18, 24, 27; jul: 4, 16, 22, 25; ago: 2, 14, 20, 23, 30; set: 10, 12, 18, 21, 28; out: 8, 10, 16, 19, 26; nov: 6, 8, 14, 17, 24; dez: 4, 6, 12, 15, 22

Relacionamentos benéficos: jan: 8; fev: 6; mar: 4, 28; abr: 2, 26; mai: 24; jun: 22, 30; jul: 20, 28, 29; ago: 18, 26, 27, 30; set: 16, 24, 25, 28; out: 14, 22, 23, 26, 29; nov: 12, 20, 21, 24, 27; dez: 10, 18, 19, 22, 25

Atrações fatais: jan: 15; fev: 13; mar: 11; abr: 9; mai: 7; jun: 5; jul: 3; ago: 1, 12, 13, 14, 15

Relacionamentos desafiantes: jan: 7, 9, 30; fev: 5, 7, 28; mar: 3, 5, 26; abr: 1, 3, 24; mai: 1, 22; jun: 20; jul: 18; ago: 16; set: 14; out: 12, 29; nov: 10, 27; dez: 8, 25, 30

Alma gêmea: jan: 8, 27; fev: 6, 25; mar: 4, 23; abr: 2, 21; mai: 19; jun: 17; jul: 15; ago: 13; set: 11; out: 9; nov: 7; dez: 5

11 de Fevereiro

Com força de vontade e originalidade, você é um aquariano determinado, com uma mente inventiva e uma compreensão aguçada da natureza humana. Com imaginação e desejo de estar à frente das tendências progressistas, você está sempre buscando novos empreendimentos que mantenham a sua mente ocupada. Por conta do seu vigor físico e de sua energia, você tem perseverança para superar obstáculos ou frustrações desde que mantenha a sua mente positiva.

Devido à subinfluência do regente do seu decanato, Libra, você é amigável e afetuoso, e tem uma grande necessidade de interação social. Você possui talentos criativos e encara os seus relacionamentos de maneira original. A sua habilidade para se dar com todo o tipo de pessoa indica que a sua natureza tem um lado humanitário proeminente. Você tem uma rebeldia natural e idéias avançadas e é capaz de atualizar sistemas antiquados. Contudo, é aconselhável evitar a tendência a ser teimoso ou voluntarioso, pois isso acaba indo contra você mesmo.

SOL: AQUÁRIO
DECANATO: LIBRA/VÊNUS
GRAU: 21°-22°30' AQUÁRIO
MODO: FIXO
ELEMENTO: AR

Com a sua sensibilidade e suas fortes emoções, você é, na maioria das vezes, uma pessoa idealista e se sente feliz quando trabalha duro em nome de um projeto ou causa nos quais acredita profundamente. Astuto e receptivo, você tem inteligência para perceber rapidamente as situações. Quando se mantém criativamente ocupado ou ativo, você pode evitar o tédio e desenvolver o seu grande potencial.

Entre os 9 e 38 anos de idade, quando o seu Sol transita pelo signo de Peixes, a sua sensibilidade emocional se amplia e você desenvolve a sua imaginação, o que pode se refletir nos seus sonhos e ideais bem como na sua vida social. Aos 39 anos de idade, a sua vida passa por uma outra mudança, quando o seu Sol progredido entra no signo de Áries, enfatizando a necessidade de tomar iniciativas e de ser direto e corajoso nos seus relacionamentos com as pessoas. Isso pode envolver o empreendimento pioneiro de novas atividades na sua vida. Quando o seu Sol progredido entra no signo de Touro, aos 69 anos, você passa a ter uma necessidade de encarar a vida e a sua segurança material de uma maneira mais prática.

O Seu Eu Secreto

Altamente intuitivo e dotado de potencial espiritual inato, você pode se beneficiar muito com o desenvolvimento deste lado da sua natureza. Por meio da auto-análise e de períodos de introspecção, você pode se manter em contato com a sua sensibilidade interior e espontaneidade, permitindo que a vida se desenrole naturalmente. Isso o ajuda a relaxar e a evitar possíveis períodos de desconfiança ou isolamento. Se tiver expectativas muito elevadas, as pessoas podem ter dificuldades em alcançar os seus ideais de perfeição.

Você é sarcástico e tem respostas rápidas e inteligentes, o que o ajuda a perceber as ironias da vida de maneira mais leve e manter-se mentalmente equilibrado. Você pode ser uma pessoa provocadora e, embora goste de receber os amigos, cultiva também o gosto por desafios mentais nos quais pode testar a sua inteligência. Embora seja muito independente e tenha facilidade para fazer contatos, você prefere o toque pessoal e se sai bem em trabalhos em parceria ou em equipe. A sua determinação e sua capacidade de liderança o ajudam a progredir em todas as áreas da sua vida.

Trabalho & Vocação

Com a sua compreensão aguçada e seus poderosos instintos, você é dinâmico e receptivo e dotado de habilidade para executar. A sua inclinação humanitária o leva a trabalhar com pessoas em atividades como psicólogo ou conselheiro. Inventivo e progressista, com interesse por pesquisa e tecnologia da informação, você gosta de liderar novos empreendimentos. Você é trabalhador e dedicado, e os seus empregados ou superiores apreciam a sua disciplina e abordagem liberal de idéias novas e originais. Como se mantém calmo em momentos de crise, você gosta de resolver problemas e fazer descobertas. Você pode se sair bem como consultor ou como especialista ou, ainda, trabalhando por conta própria. O seu interesse por educação sugere que você pode se realizar como professor ou escritor. Mas pode ser que você opte pelo estudo da Filosofia, da Espiritualidade ou da Metafísica.

ESTRELAS FIXAS

Sad Al Suud; Deneb Algedi; Nashira

ESTRELA PRIMÁRIA

Nome da estrela:
Sad Al Suud
Posição:
22°24'-23°20' de Aquário, entre os anos de 1930 e 2000
Magnitude:
3
Força:
★★★★★★
Órb:
1°30'
Constelação:
Beta Aquarius
Dias:
11, 12, 13 e 14 de fevereiro
Qualidades da estrela:
Mercúrio/Saturno e Sol/Urano
Descrição:
uma estrela amarela localizada no ombro esquerdo de Aquário.

Numerologia

A vibração especial do número-mestre 11 sugere que o idealismo, a inspiração e a inovação são muito importantes para você. Uma combinação de humildade e confiança o desafia a trabalhar para ter autodomínio material e espiritual. Por meio da experiência, você pode aprender a lidar com os dois lados da sua natureza e desenvolver uma atitude menos extremista, confiando nos próprios sentimentos. Você em geral tem muita energia e vitalidade, mas deve evitar o excesso de ansiedade e falta de praticidade. A subinfluência do mês número 2 indica que você é intuitivo e receptivo. Como é uma pessoa sensível, você é diplomático, sociável e tem uma perspectiva humanitária. Você pode se beneficiar muito por meio de parcerias e de associações, especialmente com pessoas que o encorajem e o apóiem. Apesar de adaptável, você pode, às vezes, sentir-se desencorajado muito facilmente devido ao medo e à desconfiança das pessoas. Você é inventivo e talentoso e, quando tem um interesse especial, segue o seu coração e não permite que as outras pessoas minem a sua confiança, especialmente quando explora coisas novas e originais.

Positivo: equilibrado, concentrado, objetivo, entusiástico, inspirador, espiritualizado, idealista, intuitivo, inteligente, expansivo, inventivo, artístico, habilidade para cura, humanitário, fé, habilidade psíquica

Negativo: complexo de superioridade, sem objetivo, excessivamente emotivo, facilmente ferido, falta de clareza, dominação

Amor & Relacionamentos

Idealista e pouco convencional, você tem astúcia para perceber conceitos progressistas e normalmente gosta da companhia de pessoas pouco ortodoxas que estão dispostas a abraçar novas idéias. Você pode, ocasionalmente, alternar entre ser sensível, despretensioso e atencioso e ser teimoso ou egoísta. Pode ser que você tenha um conflito interior entre os seus elevados ideais e considerações de ordem prática. Ainda que precise ter relacionamentos íntimos profundos, você pode, às vezes, sentir-se inibido e incapaz de expressar as suas poderosas emoções. Entretanto, de um modo geral, você é um amigo e aliado maravilhoso, disposto a usar a sua força de vontade para ajudar e apoiar as pessoas que ama.

INFLUÊNCIA DA ESTRELA PRIMÁRIA

A influência de Sad Al Suud sugere criatividade, imaginação, intuição e habilidades psíquicas. Você pode se interessar por Astrologia e estudos metafísicos. Normalmente, você tem inclinação para a vida doméstica e adora a sua casa. Esta estrela também confere uma vida familiar feliz e ganhos por meio do casamento.

Ligada ao grau do seu Sol, esta estrela indica originalidade, sucesso no trato com o público e interesse por Astrologia, Filosofia ou assuntos espirituais. É provável que você seja uma pessoa competitiva, original e inventiva. Esta estrela também sugere a ocorrência de acontecimentos inesperados ou estranhos.

- **Positivo**: originalidade, criatividade, mudanças felizes, novas oportunidades
- **Negativo**: escândalos, ações precipitadas que podem se voltar contra a própria pessoa

Consulte o Apêndice para obter mais informações acerca das estrelas fixas.

ALGUÉM ESPECIAL

Você pode encontrar alguém que compartilhe os seus elevados ideais e aspirações entre as pessoas nascidas nas seguintes datas:

Amor & amizade: jan: 11, 15, 20, 25, 27, 28, 29; fev: 9, 18, 23, 25, 27; mar: 7, 16, 21, 23, 25; abr: 5, 9, 14, 19, 21, 23; mai: 3, 12, 17, 19, 21; jun: 1, 5, 10, 15, 17, 18, 19; jul: 8, 13, 15, 17; ago: 6, 11, 13, 15; set: 4, 9, 11, 13; out: 2, 7, 9, 11; nov: 5, 7, 9; dez: 3, 5, 7

Relacionamentos benéficos: jan: 9, 26; fev: 7, 24; mar: 5, 22; abr: 3, 20; mai: 1, 18, 29; jun: 7, 16, 27; jul: 14, 25, 29, 30; ago: 12, 23, 27, 28, 31; set: 10, 21, 25, 26, 29; out: 8, 19, 23, 24, 27; nov: 6, 17, 21, 22, 25; dez: 4, 15, 19, 20, 23

Atrações fatais: jan: 16; fev: 14; mar: 12; abr: 10; mai: 8; jun: 6; jul: 4; ago: 2, 13, 14, 15, 16

Relacionamentos desafiantes: jan: 8, 29, 31; fev: 6, 27, 29; mar: 4, 25, 27, 28; abr: 2, 23, 25, 26; mai: 21, 23, 24; jun: 19, 21, 22; jul: 17, 19, 20; ago: 15, 17, 18; set: 13, 15, 16; out: 11, 13, 14, 30; nov: 9, 11, 12, 28; dez: 7, 9, 10, 26

Alma gêmea: mai: 30; jun: 28; jul: 26; ago: 24; set: 22, 30; out: 20, 28; nov: 18, 26; dez: 16, 24

12 de Fevereiro

Você é um aquariano original, inteligente e criativo, dotado de charme e habilidade social. Você tem potencial de liderança e uma mente objetiva que lhe dá capacidade para avaliar rapidamente as pessoas, situações e novas idéias. Ambicioso e inteligente, você pensa em grandes termos; apenas tome cuidado para que os seus diversos talentos e habilidades não o levem a dissipar as suas energias.

Com a subinfluência do regente do seu decanato, Libra, você pode ser charmoso, sociável e hábil para se dar com pessoas de diferentes círculos sociais. Embora possa às vezes aparentar ser descuidado ou desapagado, você anseia por afeição e quer ter um amplo círculo de amigos. Você é uma interessante mistura de contraste, dotado de um espírito humanitário, ainda que goste de fazer bons negócios. A sua diplomacia natural e facilidade para fazer contatos, combinadas com a sua habilidade para vender as suas idéias, podem ampliar as suas chances de sucesso.

SOL: AQUÁRIO
DECANATO: LIBRA/VÊNUS
GRAU: 22°-23°30' AQUÁRIO
MODO: FIXO
ELEMENTO: AR

Sob a sua fachada fria e distante, você é mais complexo do que aparenta. Quando disciplina a sua inquietude interior, você pode transformar em realidade as suas idéias maravilhosas e imaginativas. Como tem um senso inato de valores, você pode alcançar rapidamente o controle das situações. Contudo, tome cuidado para que a sua capacidade natural de liderança não se degenere para o autoritarismo ou a teimosia. Você é independente, altamente entusiástico, dinâmico, inventivo e tem o seu estilo único.

Entre os 8 e os 37 anos de idade, quando o seu Sol transita pelo signo de Peixes, a sua sensibilidade emocional se amplia, tornando-o mais imaginativo, receptivo e consciente da sua vida social. Você se torna uma pessoa visionária ou interessada em desenvolver os seus talentos criativos ou espirituais. Aos 38 anos de idade, a sua vida passa por uma outra mudança, quando o seu Sol progredido entra no signo de Áries. A sua ambição e sua determinação se tornam mais aparentes e você passa a realmente ser você mesmo. Você passa a se envolver em novos projetos ou novas idéias. Quando o seu Sol progredido entra no signo de Touro, aos 68 anos, você passa a ter uma necessidade de estabilidade, segurança e equilíbrio emocional.

O Seu Eu Secreto

Os seus sutis talentos artísticos e inteligência rápida sugerem que a sua personalidade esconde algumas facetas. Espirituoso e com uma grande necessidade de se expressar, você tem uma natureza aventureira. Todavia, você deve evitar desperdiçar sua energia preciosa deixando-se levar pela dúvida quanto a si mesmo, indecisão ou preocupação. Quando desenvolve a sua fé interior e a autodisciplina e confia no poder da sua intuição, você pode ter um enorme sucesso. Isso pode levá-lo a não aceitar posições aquém dos seus talentos e capacidades.

Como é altamente criativo, você possui uma energia que o impulsiona a buscar novas atividades. Porém, você é sensível e muito tenso e pode chegar à conclusão de que precisa de períodos de isolamento para reflexão, meditação ou contemplação, atividades particularmente benéficas para o desenvolvimento da sua calma interior.

Trabalho & Vocação

O seu bom senso para os negócios indica que, com a sua capacidade de comunicação e habilidade executiva, você sabe conduzir negociações. Você pode sentir-se atraído por carreiras no serviço público. Com interesse em educação, você pode seguir a carreira do magistério. O seu interesse por questões públicas sugere que você pode entrar para o mundo da política ou trabalhar como consultor ou conselheiro. Autoritário e capaz, você pode se dedicar aos negócios e se envolver no mundo editorial, industrial ou da publicidade. Mas o seu espírito independente e criativo pode levá-lo à literatura, ao teatro ou às artes em geral. Com a sua mente objetiva e pouco ortodoxa, você pode se inspirar para se tornar cientista ou inventor. Como é uma pessoa com valores humanitários e filantrópicos, você pode dar uma valiosa contribuição para alguma causa que considere justa. Você é curioso e, se tiver interesse por outras culturas, pode vir a ser arqueólogo ou antropólogo.

Numerologia

As pessoas com o dia de aniversário número 12 são, em geral, intuitivas e amigáveis. Como quer ter a própria individualidade, você é sempre inovador. Naturalmente compreensivo e sensível, você também sabe como usar tato e métodos cooperativos para realizar os seus objetivos. Quando consegue equilibrar a necessidade de se expressar com a sua inclinação natural para apoiar as pessoas, você pode vir a ter satisfação emocional e realização pessoal. No entanto, você precisa ter coragem para andar com as próprias pernas e desenvolver a autoconfiança ou aprender a não ser facilmente desencorajado pelas outras pessoas. A subinfluência do mês número 2 indica que você é receptivo, tem habilidades diplomáticas e sabe lidar com as pessoas. Você é uma pessoa com valores humanitários, atenciosa e sensível às necessidades dos outros. Mas, você precisa aprender a contrabalançar a sua vida social agitada com o seu trabalho e suas obrigações. Mesmo sendo intuitivo e adaptável, a sua natureza inquieta indica que, às vezes, você pode ser impaciente e dominador. Com interesse em aprender, você está sintonizado com idéias progressistas e questões sociais, especialmente as ligadas à educação e à política.

ESTRELAS FIXAS

Sad Al Suud; Deneb Algedi; Nashira

ESTRELA PRIMÁRIA

Nome da estrela:
Sad Al Suud

Posição:
22°24'-23°20' de Aquário, entre os anos de 1930 e 2000

Magnitude:
3

Força:
★★★★★★

Órb:
1°30'

Constelação:
Beta Aquarius

Dias:
11, 12, 13 e 14 de fevereiro

Qualidades da estrela:
Mercúrio/Saturno e Sol/Urano

Descrição:
uma estrela amarela localizada no ombro esquerdo de Aquário.

Positivo: criativo, atraente, iniciativa, disciplinador, promoção de si e dos outros

Negativo: reclusão, excentricidade, falta de cooperação, sensibilidade excessiva, baixa auto-estima

Amor & Relacionamentos

Amigável e sociável, você tem facilidade para se comunicar com todos os tipos de pessoas. Normalmente, você gosta de estar entre pessoas ou grupos mentalmente estimulantes nos quais possa compartilhar os seus interesses e aprender coisas novas. Você está a par das novas tendências e prefere a companhia de pessoas que pensem como você e que queiram se auto-aperfeiçoar. Porém, nos seus relacionamentos pessoais, você deve evitar a tendência a ser muito autoritário. Progressista, você gosta de ter experiências na sua busca do amor. A sua sensibilidade sugere que a sua aparência distante pode às vezes esconder a dificuldade de demonstrar as suas emoções profundas.

INFLUÊNCIA DA ESTRELA PRIMÁRIA

A influência de Sad Al Suud sugere criatividade, imaginação, intuição e habilidades psíquicas. Você pode se interessar por Astrologia e estudos metafísicos. Normalmente, você tem inclinação para a vida doméstica e adora a sua casa. Esta estrela também confere uma vida familiar feliz e ganhos por meio do casamento.
Ligada ao grau do seu Sol, esta estrela indica originalidade, sucesso no trato com o público e interesse por Astrologia, Filosofia ou assuntos espirituais. É provável que você seja uma pessoa competitiva, original e inventiva. Esta estrela também sugere a ocorrência de acontecimentos inesperados ou estranhos.

- **Positivo**: originalidade, criatividade, mudanças felizes, novas oportunidades
- **Negativo**: escândalos, ações precipitadas que podem se voltar contra a própria pessoa

Consulte o Apêndice para obter mais informações acerca das estrelas fixas.

ALGUÉM ESPECIAL

Você pode ter sorte nos seus relacionamentos com pessoas nascidas nas seguintes datas:

Amor & amizade: jan: 4, 11, 12, 26, 28, 30; fev: 2, 9, 10, 24, 26, 28; mar: 7, 8, 22, 24, 26; abr: 5, 6, 10, 20, 22, 24, 30; mai: 3, 4, 18, 20, 22, 28, 31; jun: 1, 2, 6, 16, 18, 20, 26, 29; jul: 14, 16, 18, 24, 27; ago: 12, 14, 16, 22, 25; set: 10, 12, 14, 20, 23; out: 8, 10, 12, 13, 18, 21; nov: 6, 8, 10, 16, 19; dez: 4, 6, 8, 14, 17

Relacionamentos benéficos: jan: 3, 10, 29, 31; fev: 1, 8, 27; mar: 6, 25; abr: 4, 23; mai: 2, 21, 23; jun: 19; jul: 17, 30; ago: 15, 28; set: 13, 26; out: 11, 24; nov: 9, 22; dez: 7, 20

Atrações fatais: jan: 11; fev: 9; mar: 7; abr: 5; mai: 3; jun: 1; ago: 14, 15, 16, 17

Relacionamentos desafiantes: jan: 9; fev: 7; mar: 5, 28; abr: 13, 26; mai: 1, 24; jun: 22; jul: 20; ago: 18; set: 16; out: 14, 30, 31; nov: 12, 28, 29; dez: 10, 26, 27

Alma gêmea: jan: 7; fev: 5; mar: 3; abr: 1; mai: 29; jun: 27; jul: 25; ago: 23; set: 21; out: 19; nov: 17; dez: 15

13 de Fevereiro

Com boa capacidade de comunicação e idéias inventivas, você é um aquariano original e talentoso, dotado de um senso dramático. A sua forte personalidade indica que você se orgulha do seu trabalho, mas tem aversão a ocupar posições de subserviência. Diligente e confiável, você tem uma abordagem criativa e gosta de pertencer a associações ou grupos em que possa ter um papel de liderança.

Com a subinfluência do regente do seu decanato, Libra, você é sociável, charmoso e capaz de se relacionar com pessoas de todos os círculos sociais. A sua diplomacia natural e seu bom senso de valores podem ajudá-lo a alcançar o sucesso, pois eles lhe dão uma excelente habilidade de negociação. Com a sua abordagem original, consciência da sua imagem e apreço pela beleza, você pode expressar a sua individualidade por meio de atividades artísticas ou literárias. Como possui uma grande necessidade de amor e afeição, você considera os seus relacionamentos muito importantes.

SOL: AQUÁRIO
DECANATO: LIBRA/VÊNUS
GRAU: 23°30'-24°30' AQUÁRIO
MODO: FIXO
ELEMENTO: AR

Astuto e perspicaz, você é preciso e isso indica que tem capacidade para fazer análises profundas. Você é rebelde por natureza, tem um espírito humanitário e disposição para lutar pelos direitos de outras pessoas e apoiar causas idealistas. Embora prefira lidar com os outros de forma direta e honesta, você deve evitar ser autoritário ou ríspido.

Entre os 7 e os 36 anos de idade, quando o seu Sol transita pelo signo de Peixes, a sua sensibilidade emocional se amplia e você desenvolve o seu senso de visão. Os seus sentimentos podem encorajá-lo a buscar metas idealistas, criativas ou espirituais. Aos 37 anos de idade, a sua vida passa por uma outra mudança, quando o seu Sol progredido entra no signo de Áries. Nessa fase, você passa a ter uma maior necessidade de ser assertivo, ativo e direto nas questões ligadas à sua vida cotidiana, e pode até dar início a novos empreendimentos. Quando o seu Sol progredido entra no signo de Touro, aos 67 anos, você passa a ter uma necessidade de estabilidade financeira, segurança e passa a apreciar a natureza.

O Seu Eu Secreto

Ainda que seja ambicioso e tenha um senso astuto para os negócios, você pode, ocasionalmente, preocupar-se ou ficar indeciso quanto à sua vida financeira e situação material, o que pode impedir que desenvolva o seu extraordinário potencial criativo. Quando mantém uma perspectiva mais leve por meio de uma abordagem mental positiva e corta as extravagâncias, você pode simplificar e facilitar a sua vida. Corajoso e com um espírito livre, você pode ter idéias inspiradas e, quando as combina com a sua autodisciplina, é capaz de alcançar um enorme sucesso.

Generoso e liberal, você tem uma perspectiva universal que o pode ajudar a liderar outras pessoas. Você é animado e pode se destacar motivando outras pessoas ou levando adiante mudanças e reformas. Mesmo sendo às vezes obstinado, o desapego e uma atitude equilibrada na vida impedem que você tenha frustrações e desapontamentos. Você é sensível e precisa de períodos regulares de descanso e diversão para recarregar o seu sistema nervoso.

Trabalho & Vocação

Com a sua inteligência e sua habilidade prática, você é inventivo e original. Criativo e versátil, você precisa de variedade e de modos diferentes para se expressar. Embora goste de grandes projetos e de colaborar com outras pessoas, você pode se sentir restringido se tiver de ocupar uma posição subserviente. O ideal para você é trabalhar por conta própria ou uma carreira na qual tenha algum tipo de controle ou autoridade. O seu intelecto intuitivo pode levá-lo ao mundo da pesquisa científica, da educação, da metafísica ou da filosofia. Mas a sua natureza atenciosa pode se expandir em atividades ligadas a algum tipo de aconselhamento, trabalho social ou de luta pelos direitos dos outros. Como é multitalentoso e aprecia a arte, a música ou o teatro, você pode sentir-se atraído pelo mundo das artes, dos meios de comunicação ou do entretenimento. A sua habilidade para liderar algum tipo de reforma pode levá-lo a participar de causas humanitárias ou ao serviço público.

ESTRELAS FIXAS

Sad Al Suud; Deneb Algedi; Nashira

ESTRELA PRIMÁRIA

Nome da estrela:
Sad Al Suud

Posição:
22°24'-23°20' de Aquário, entre os anos de 1930 e 2000

Magnitude:
3

Força:
★★★★★★

Órb:
1°30'

Constelação:
Beta Aquarius

Dias:
11, 12, 13 e 14 de fevereiro

Qualidades da estrela:
Mercúrio/Saturno e Sol/Urano

Descrição:
uma estrela amarela localizada no ombro esquerdo de Aquário.

Numerologia

Sensibilidade emocional, entusiasmo e inspiração são muitas vezes identificados com o dia de aniversário número 13. Numericamente, você está associado à ambição e ao trabalho duro e pode realizar muito expressando-se criativamente. Você precisa desenvolver ou cultivar uma perspectiva pragmática se deseja transformar os seus talentos criativos em resultados concretos. A maneira original e inovadora com que encara as coisas gera idéias novas e interessantes que muitas vezes resultam em trabalhos que impressionam as pessoas. Com o dia de aniversário número 13, você é uma pessoa séria, romântica, charmosa e que gosta de se divertir, e quando se dedica pode prosperar. A subinfluência do mês número 2 indica que você é receptivo e idealista e que tem talento para lidar com as pessoas. Ambicioso mas charmoso, você sabe usar a sua habilidade diplomática e personalidade amigável de ser bem-sucedido social e financeiramente. A sua necessidade de expressar os seus talentos sugere que você pode ser dramático e dinâmico quando tem uma meta ou propósito. Na maior parte das vezes é uma pessoa generosa e gentil, mas você pode, ocasionalmente, ter reações exageradas, extravagantes ou ser auto-indulgente. Você normalmente se beneficia por meio de atividades em colaboração com os outros, mas prefere assumir o controle e ter um papel de liderança.

Positivo: ambicioso, criativo, livre, expressivo, capacidade de iniciativa

Negativo: impulsivo, indeciso, autoritário, pouco emotivo, rebelde, egotista

Amor & Relacionamentos

Sociável e amigável, você tem uma personalidade espirituosa e divertida, muitos amigos e conhecidos. De um modo geral, você se interessa por pessoas inteligentes e criativas que o inspirem a se expressar. Ainda que precise de amor e afeição, a indecisão ou a incerteza podem deixá-lo confuso no que diz respeito a relacionamentos duradouros. Quando aprende a se manter neutro e criativo, você pode evitar preocupar-se em demasia com a sua vida pessoal. O lado humanitário da sua personalidade indica que as amizades têm um papel importante na sua vida.

INFLUÊNCIA DA ESTRELA PRIMÁRIA

A influência de Sad Al Suud sugere criatividade, imaginação, intuição e habilidades psíquicas. Você pode se interessar por Astrologia e estudos metafísicos. Normalmente, você tem inclinação para a vida doméstica e adora a sua casa. Esta estrela também confere uma vida familiar feliz e ganhos por meio do casamento.
Ligada ao grau do seu Sol, esta estrela indica originalidade, sucesso no trato com o público e interesse por Astrologia, Filosofia ou assuntos espirituais. É provável que você seja uma pessoa competitiva, original e inventiva. Esta estrela também sugere a ocorrência de acontecimentos inesperados ou estranhos.

- **Positivo**: originalidade, criatividade, mudanças felizes, novas oportunidades
- **Negativo**: escândalos, ações precipitadas que podem se voltar contra a própria pessoa

Consulte o Apêndice para obter mais informações acerca das estrelas fixas.

ALGUÉM ESPECIAL

A sua chance de encontrar aquele alguém especial é maior com as pessoas nascidas nas seguintes datas:

Amor & amizade: jan: 13, 17, 29; fev: 11, 27, 29; mar: 9, 25, 27; abr: 7, 11, 23, 25; mai: 5, 21, 23, 29; jun: 3, 7, 19, 21, 27, 30; jul: 1, 17, 19, 25, 28; ago: 15, 17, 23, 26; set: 13, 15, 21, 24; out: 11, 13, 19, 22, 29; nov: 9, 11, 17, 20, 27; dez: 7, 9, 15, 18, 25

Relacionamentos benéficos: jan: 11; fev: 9; mar: 7, 31; abr: 5, 29; mai: 3, 27, 31; jun: 1, 9, 25, 29; jul: 23, 27, 31; ago: 21, 25, 29, 30; set: 19, 23, 27, 28; out: 1, 17, 21, 25, 26; nov: 15, 19, 23, 24, 30; dez: 13, 17, 21, 22, 28

Atrações fatais: jan: 12; fev: 10; mar: 8; abr: 6; mai: 4; jun: 2; ago: 15, 16, 17, 18

Relacionamentos desafiantes: jan: 10; fev: 8; mar: 6, 29; abr: 4, 27; mai: 2, 25; jun: 23; jul: 21; ago: 19; set: 17; out: 15, 31; nov: 13, 29, 30; dez: 11, 27, 28

Alma gêmea: jan: 18, 24; fev: 16, 22; mar: 14, 20; abr: 12, 18; mai: 10, 16; jun: 8, 14; jul: 6, 12; ago: 4, 10; set: 2, 8; out: 6; nov: 4; dez: 2

14 de Fevereiro

O seu dia de aniversário mostra que você é um aquariano amigável, charmoso, inteligente e caloroso. Você tem uma personalidade graciosa e possui habilidades sociais refinadas que o podem ajudar a ser bem-sucedido. A sua grande imaginação e a consciência da imagem que transmite lhe dão a habilidade de ser criativo e causar uma boa impressão às outras pessoas.

Com a influência adicional do seu Sol no decanato de Libra, você é amigável e despreocupado e tem necessidade de afeição e de relacionamentos harmoniosos. Você aprecia a beleza, a arte e a música, possui talentos criativos inatos e pode, com autodisciplina, desenvolver essas qualidades e usá-las como uma poderosa forma de auto-expressão. Você gosta de luxo e estilo e pode sentir-se atraído pelo melhor que a vida tem a oferecer.

SOL: AQUÁRIO
DECANATO: LIBRA/VÊNUS
GRAU: 24°-25°30' AQUÁRIO
MODO: FIXO
ELEMENTO: AR

Direto e honesto na sua maneira de se comunicar com as outras pessoas, você quer levar uma vida simples. Com uma compreensão natural das motivações das pessoas, você é um bom psicólogo e tem valores humanitários. Ocasionalmente, você pode aparentar ser distante e altivo, pois tem medo de ser ferido. Contudo, você deve tomar cuidado para que as outras pessoas não interpretem esses sinais erroneamente e pensem que não são queridas. Você tem uma jovialidade que o acompanhará pelo resto da sua vida e que encanta ou diverte as outras pessoas.

Entre os 6 e os 35 anos de idade, quando o seu Sol transita pelo signo de Peixes, a sua sensibilidade emocional e sua imaginação se ampliam, o que pode se refletir nas suas visões, em seus sonhos, ideais e também na sua vida pessoal. Aos 36 anos de idade, a sua vida passa por uma outra mudança, quando o seu Sol progredido entra no signo de Áries. Nessa fase, você passa a ter uma maior necessidade de tomar iniciativas e de ser assertivo e pode vir a liderar novas idéias e atividades e a ser direto no seu relacionamento com outras pessoas. Quando o seu Sol progredido entra no signo de Touro, aos 66 anos, você passa a ter uma necessidade de encarar a sua vida e a sua segurança financeira de forma mais prática.

O Seu Eu Secreto

Com os seus diversos interesses e desejos, você pode, ocasionalmente, sentir-se indeciso quanto às escolhas que precisa fazer na vida e ter um conflito entre os seus ideais e a realidade mundana. A sua personalidade brilhante e sua expressividade, no entanto, podem ajudá-lo a colocar a vida em perspectiva. Procure evitar que a segurança financeira o impeça de buscar oportunidades criativas.

Apesar de prático, você também possui talentos psíquicos ou intuitivos que, se forem desenvolvidos, podem ajudá-lo a se conscientizar a querer ajudar os outros. Mesmo tendo uma jovialidade interior, é quando aprende a assumir responsabilidades que você pode ter estabilidade na vida e aumentar as suas chances de ser bem-sucedido. Dramático e com uma mente cheia de idéias brilhantes, você precisa canalizar a sua vitalidade e seu temperamento inquieto por meio de atividades criativas. O seu desejo de estar constantemente adquirindo conhecimento permanecerá com você até o fim da sua vida e o ajudará a manter-se entusiástico e jovial.

Trabalho & Vocação

Individualista e determinado, você tem charme e vitalidade. No mundo dos negócios, você pode usar a sua personalidade para se promover e aproveitar as oportunidades para progredir na vida. Você em geral é uma pessoa trabalhadora, dotada de habilidades práticas e executivas, e pode ser bem-sucedido nos mundo dos negócios e das vendas ou, ainda, promovendo e criando imagens. Você tem talento para lidar com as pessoas, o que também sugere que pode trabalhar como funcionário público ou fazendo contatos em grandes organizações. Mas você pode também trabalhar na área editorial e dos meios de comunicação. As áreas bancária, de seguros e da Bolsa de Valores podem ser atraentes para você. Você pode também trabalhar por conta própria e, se desejar ter uma vida variada e animada, pode escolher uma carreira no mundo do *show business*.

Numerologia

Potencial intelectual, pragmatismo e determinação são algumas das qualidades associadas ao dia de aniversário número 14. De fato, como um indivíduo número 14, você muitas vezes coloca o trabalho em primeiro lugar e julga a si e aos outros tomando como base a realização profissional. Ainda que precise de estabilidade, a inquietação indicada pelo número 14 o impele a seguir adiante ou a aceitar os novos desafios na constante tentativa de melhorar as suas condições. A sua inquietude inata e a constante insatisfação podem também inspirá-lo a fazer grandes mudanças na sua vida, especialmente se não estiver feliz com a sua condição profissional ou *status* financeiro. Com a sua mente perceptiva, você responde rapidamente aos problemas e gosta de resolvê-los. A subinfluência do mês número 2 indica que você é intuitivo e que tem capacidade de discernimento. A sua tendência a ser crítico e de se concentrar nos seus interesses sugere que você, muitas vezes, é uma pessoa perfeccionista, mas que pode deixar-se levar pela racionalização cética. Receptivo e intuitivo, você pode, no entanto, ter propensão à inquietude e à falta de fé. Como prefere tomar as próprias decisões, muitas vezes, você aprende mais por meio da experiência pessoal.

Positivo: ações decisivas, trabalhador, sortudo, criativo, pragmático, imaginativo, diligente

Negativo: excessivamente cauteloso ou impulsivo, instável, precipitado, teimoso

ESTRELAS FIXAS

Sad Al Suud; Deneb Algedi; Nashira

ESTRELA PRIMÁRIA

Nome da estrela:
Sad Al Suud

Posição:
22°24'-23°20' de Aquário, entre os anos de 1930 e 2000

Magnitude:
3

Força:
★★★★★★

Órb:
1°30'

Constelação:
Beta Aquarius

Dias:
11, 12, 13 e 14 de fevereiro

Qualidades da estrela:
Mercúrio/Saturno e Sol/Urano

Descrição:
uma estrela amarela localizada no ombro esquerdo de Aquário.

Amor & Relacionamentos

Charmoso e individualista, você prefere ter liberdade para aproveitar as oportunidades disponíveis. Como faz amigos com facilidade, você tem muitas oportunidades sociais e conhecidos. Muitas das suas oportunidades surgem por meio das pessoas que conhece. Prático e com bom senso, você precisa de tempo para escolher cuidadosamente os seus parceiros, pois se não o fizer pode vir a sentir-se restrito ou perder o interesse. Honesto e direto, você tem um interesse especial por parceiros que sejam práticos, mas imaginativos ou sensíveis. Embora valorize os seus relacionamentos, você também precisa de liberdade.

INFLUÊNCIA DA ESTRELA PRIMÁRIA

A influência de Sad Al Suud sugere criatividade, imaginação, intuição e habilidades psíquicas. Você pode se interessar por Astrologia e estudos metafísicos. Normalmente, você tem inclinação para a vida doméstica e adora a sua casa. Esta estrela também confere uma vida familiar feliz e ganhos por meio do casamento.
Ligada ao grau do seu Sol, esta estrela indica originalidade, sucesso no trato com o público e interesse por Astrologia, Filosofia ou assuntos espirituais. É provável que você seja uma pessoa competitiva, original e inventiva. Esta estrela também sugere a ocorrência de acontecimentos inesperados ou estranhos.

- **Positivo**: originalidade, criatividade, mudanças felizes, novas oportunidades
- **Negativo**: escândalos, ações precipitadas que podem se voltar contra a própria pessoa

Consulte o Apêndice para obter mais informações acerca das estrelas fixas.

ALGUÉM ESPECIAL

A sua chance de encontrar um parceiro amoroso para um relacionamento duradouro é maior com as pessoas nascidas nas seguintes datas:

Amor & amizade: jan: 6, 8, 14, 18, 23, 26, 28; fev: 4, 10, 12, 21, 24, 26; mar: 2, 10, 12, 19, 22, 24; abr: 8, 12, 14, 17, 20, 22; mai: 6, 15, 16, 18, 20, 22; jun: 4, 13, 16, 18, 20; jul: 2, 11, 14, 16, 20; ago: 4, 9, 12, 14, 22; set: 7, 10, 12, 24; out: 5, 8, 10, 12, 26; nov: 3, 6, 8, 28; dez: 1, 4, 6, 30

Relacionamentos benéficos: jan: 9, 12, 17; fev: 7, 10; mar: 5, 8; abr: 3, 6; mai: 1, 4; jun: 2, 7, 30; jul: 28; ago: 26, 30, 31; set: 24, 28, 29; out: 22, 26, 27; nov: 20, 24, 25; dez: 18, 22, 23, 29

Atrações fatais: ago: 16, 17, 18, 19

Relacionamentos desafiantes: jan: 11, 13, 29; fev: 9, 11; mar: 7, 9, 30; abr: 5, 7, 28; mai: 2, 5, 26, 31; jun: 1, 3, 24, 29; jul: 1, 22, 27; ago: 20, 25; set: 18, 23, 30; out: 16, 21, 28; nov: 14, 19, 26; dez: 12, 17, 24

Alma gêmea: jan: 12, 29; fev: 10, 27; mar: 8, 25; abr: 6, 23; mai: 4, 21; jun: 2, 19; jul: 17; ago: 15; set: 13; out: 11; nov: 9; dez: 7

15 de Fevereiro

Com um pensamento original e uma mente rápida, você é um aquariano generoso e gentil e que tem uma grande consciência de princípios. Amigável e entusiástico, a sua habilidade para aprender rapidamente pode ajudá-lo a adquirir muitos talentos na vida. Você se comunica de forma carismática, tem um senso inato para os negócios e muitas vezes sabe perceber as oportunidades e comercializar os seus talentos.

Com a influência adicional do seu Sol no decanato de Libra, você sabe se relacionar com pessoas diferentes e tem poder de influenciá-las com as suas idéias inventivas. Charmoso e afetuoso, com uma grande necessidade de interação social, você também tem um lado humanitário. A sua diplomacia natural e a facilidade para fazer contatos combinadas com a sua habilidade para vender as suas idéias podem ajudá-lo muito a ser bem-sucedido. Você aprecia a beleza, o estilo e o luxo e pode gostar de coisas caras.

SOL: AQUÁRIO
DECANATO: LIBRA/VÊNUS
GRAU: 25°-26°30' AQUÁRIO
MODO: FIXO
ELEMENTO: AR

Com o seu senso de visão ou habilidade para perceber as coisas dentro de uma perspectiva mais ampla, você sempre vê o que vem pela frente e tem uma excelente capacidade de organização. Você não gosta de aparentar ser uma pessoa mesquinha e geralmente tem um melhor desempenho profissional quando tem uma meta em mente. Apesar de sua tendência à rebeldia, você sabe trabalhar para promover mudanças positivas, mas deve evitar atitudes radicais ou a teimosia. Talentoso e rápido para avaliar as situações, você tem a feliz habilidade de transformar os seus sonhos em realidade. Apenas tome cuidado para que, na busca da realização dos seus desejos, você não se deixe levar pela preocupação excessiva com a sua vida material.

Entre os 5 e os 34 anos de idade, quando o seu Sol transita pelo signo de Peixes, você passa a ser mais sutil e a dar mais importância à sua sensibilidade emocional. Você pode se sentir encorajado a ter metas idealistas ou criativas. Aos 35 anos de idade, a sua vida passa por uma outra mudança, quando o seu Sol progredido entra no signo de Áries e você passa a ter necessidade de ser mais assertivo, ativo e de direcionar a sua vida cotidiana. Pode ser que nessa fase você dê início a novos empreendimentos. Quando o seu Sol progredido entra no signo de Touro, aos 65 anos, você passa a ter uma necessidade de ter mais estabilidade financeira e segurança e de abordar a vida de forma mais pragmática.

O Seu Eu Secreto

Dramático e orgulhoso, você tem uma aparência confiante e muitas vezes alcança posições de autoridade. Você sabe fazer contatos e muitas vezes promove a ligação de pessoas de grupos diferentes e se sente satisfeito quando pode ajudar aos outros. O seu refinamento natural e seu apreço pela arte podem estimulá-lo a desenvolver os seus talentos criativos, profissionalmente ou como passatempo. Ainda que tenha habilidade para lidar com questões de ordem financeira, é quando desenvolve os seus ideais e sabedoria natural que você pode realmente se sentir recompensado.

Felizmente, você tem resistência e isso pode ajudá-lo a realizar os seus objetivos. Se ocupar posições aquém da sua capacidade, é porque você mesmo não reconhece o seu incrível potencial. Quando tem disposição para se dedicar à sua vida profissional e a necessária disciplina, você tem excelentes oportunidades para ser bem-sucedido.

Trabalho & Vocação

> **ESTRELAS FIXAS**
>
> Embora o grau do seu Sol não esteja associado a nenhuma estrela fixa, alguns de seus outros planetas certamente estão. Por meio do seu mapa astrológico, você pode encontrar a posição exata dos planetas na sua data de nascimento e poderá saber quais das estrelas fixas listadas neste livro são relevantes para você.

Como sabe delegar tarefas e se interessa por assuntos de natureza pública, você pode ter atividades ligadas ao funcionalismo público. Você tem um excelente senso para os negócios e, com a sua capacidade de comunicação, é capaz de conduzir negociações e atuar como conselheiro ou consultor. O seu interesse por educação pode levá-lo a trabalhar na área do Magistério. Interessado por descobertas tecnológicas, você pode trabalhar nas áreas de Computação ou Engenharia. Se estiver envolvido com o mundo dos negócios, você pode sentir-se atraído pelo mundo financeiro ou industrial. Criativo, você pode ter inspiração para produzir trabalhos artísticos originais. Você tem valores humanitários e pode dar uma contribuição valiosa para causas nas quais acredita. As pessoas ricas nascidas neste dia muitas vezes dedicam-se à filantropia e ao mecenato.

Numerologia

Versatilidade, entusiasmo e inquietude são sugeridos pelo dia de aniversário número 15. Você em geral é uma pessoa rápida, dotada de uma personalidade carismática. Os seus grandes trunfos são os seus fortes instintos e a capacidade para aprender rapidamente, combinando teoria e prática. Você muitas vezes é capaz de ganhar dinheiro ao mesmo tempo em que aprende novas habilidades, sabe usar o seu poder de intuição e é rápido para perceber as oportunidades que surgem. Como todas as pessoas nascidas no dia 15, você tem talento para atrair dinheiro ou receber ajuda e apoio dos outros. Despreocupado e decidido, você gosta do inesperado e de arriscar no jogo. Mesmo sendo naturalmente aventureiro, você precisa ter uma base sólida. A subinfluência do mês número 2 indica que você é receptivo e altamente intuitivo. Empreendedor e trabalhador, você gosta de atividades sociais mas precisa aprender a confrontar as situações sem ser dominador ou agressivo. Inquieto e mentalmente ativo, você tem energia e ambição e deve evitar o excesso de trabalho ou recorrer à auto-indulgência. Rápido e alerta, você precisa expressar o seu dinamismo dramático por meio de um planejamento responsável e criativo. Quando tem entusiasmo e otimismo, você pode se beneficiar com atividades em colaboração com outras pessoas desde que conclua o que inicia.

Positivo: disposição, generosidade, responsabilidade, gentileza, cooperação, apreço, idéias criativas, empreendimento

Negativo: inquietude, irresponsabilidade, autocentramento, medo de mudança, perda da fé, preocupação, indecisão, materialismo

Amor & Relacionamentos

Popular e expansivo, é provável que você tenha muitos amigos e conhecidos. Você é um parceiro leal e sabe dar com generosidade aos seus amigos e às pessoas que ama. O seu charme pode atrair muitas oportunidades sociais e românticas. Inteligente e dinâmico, você gosta da companhia de pessoas enérgicas e com personalidade carismática. Mesmo tendo sentimentos poderosos e desejando ter amor e afeição, você pode, ocasionalmente, ter dificuldade para se decidir quanto ao parceiro certo. Contudo, o seu jeito amigo e seu carisma garantem o seu sucesso social.

ALGUÉM ESPECIAL

Se estiver procurando alguém especial, você pode ter sorte com as pessoas nascidas nas seguintes datas:

Amor & amizade: jan: 6, 15, 18, 29, 31; fev: 4, 13, 27, 29; mar: 2, 11, 25, 27; abr: 9, 12, 23, 25; mai: 7, 21, 23; jun: 1, 5, 19, 21; jul: 3, 17, 19, 30; ago: 1, 15, 17, 28; set: 13, 15, 26; out: 1, 11, 13, 24; nov: 9, 11, 22; dez: 7, 9, 20

Relacionamentos benéficos: jan: 13, 15, 19; fev: 11, 13, 17, 19; mar: 9, 11, 15; abr: 7, 9, 13; mai: 5, 7, 11; jun: 3, 5, 9, 11; jul: 1, 3, 7, 29; ago: 1, 5, 27, 31; set: 3, 25, 29; out: 1, 3, 23, 27; nov: 21, 25; dez: 19, 23

Atrações fatais: mai: 30; jun: 28; jul: 26; ago: 17, 18, 19, 20, 24; set: 22; out: 20; nov: 18; dez: 16

Relacionamentos desafiantes: jan: 12; fev: 10; mar: 8; abr: 6; mai: 4; jun: 2; jul; ago: 31; set: 29; out: 27, 29, 30; nov: 25, 27, 28; dez: 23, 25, 26, 30

Alma gêmea: jan: 2, 28; fev: 26; mar: 24; abr: 22; mai: 20; jun: 18; jul: 16; ago: 14; set: 12; out: 10; nov: 8; dez: 6

16 de Fevereiro

Inteligente e dotado de uma perspectiva universal, você é um aquariano independente e amigável. O seu dia de aniversário indica que, ainda que seja generoso, gentil e aberto, você também pode ser introspectivo ou crítico. A sua grande capacidade de liderança sugere que você não gosta de ocupar posições de subserviência e que, na maior parte das vezes, tem bons valores e princípios.

Com a influência adicional do seu Sol no decanato de Libra, você possui habilidade social e de comunicação. Como precisa de pessoas, amor e afeição, seus relacionamentos desempenham um importante papel na sua vida. Espirituoso e culto, você tem reações rápidas e uma perspectiva humanitária. Apesar de independente, a sua habilidade para lidar facilmente com as pessoas o ajuda a ter um bom desempenho em trabalhos de equipe. Contudo, você tem uma instabilidade excêntrica que indica uma facilidade para se entediar e dificuldade para ouvir e se comunicar com os outros sem ter de recorrer à retórica.

SOL: AQUÁRIO
DECANATO: LIBRA/VÊNUS
GRAU: 26°-27°30' AQUÁRIO
MODO: FIXO
ELEMENTO: AR

Como prefere se manter em atividade, você pode ser produtivo e cheio de recursos. Você tem um pensamento excepcional, sabe sintetizar as informações que recebe e gosta de compartilhar o seu conhecimento com as outras pessoas. No entanto, quando se absorve nos seus próprios pensamentos, você pode aparentar ser uma pessoa distraída e desatenta. Mesmo sendo, na maioria das vezes, uma pessoa desapegada, você pode, ocasionalmente, ter a tendência a se apegar nos seus desapontamentos e frustrações, o que pode interferir nos seus planos e objetivos positivos. Quando rompe com o passado, você pode viver mais feliz no presente.

Entre os 4 e os 33 anos de idade, quando o seu Sol transita pelo signo de Peixes, a sua sensibilidade emocional se amplia, tornando-o mais imaginativo, receptivo e emocionalmente consciente da sua vida social. Pode ser que você adquira um maior senso de visão e venha a desenvolver os seus talentos criativos. Aos 34 anos de idade, a sua vida passa por uma outra mudança, quando o seu Sol progredido entra no signo de Áries. A sua ambição e sua determinação se tornam mais aparentes e você passa a realmente ser uma pessoa independente. Quando o seu Sol progredido entra no signo de Touro, aos 64 anos, você passa a ser uma pessoa mais prática, com necessidade de estabilidade, segurança e serenidade emocional.

O Seu Eu Secreto

Com um senso prático inato, você sabe avaliar rapidamente o valor de uma idéia ou projeto, o que, combinado com a sua habilidade psicológica natural, permite que também possa compreender o caráter ou motivação das outras pessoas, colocando-o em posição de liderança. A sua necessidade de segurança material tem um papel importante no que diz respeito às suas decisões; apenas tome cuidado para que isso não interfira na sua espiritualização. Felizmente, o seu senso de humor pode ajudá-lo a manter uma perspectiva equilibrada.

Quando consegue levar uma vida variada, a sua inquietude ou impaciência interior podem ser canalizadas para mudanças dinâmicas, aventuras, viagens ou exercícios físicos. Você deve ter reservas para possíveis períodos de instabilidade financeira, o que pode levá-lo a alternar momentos de extravagância com períodos de muita economia. A perseverança e os planos de longo prazo podem ajudá-lo a evitar a insatisfação com limitações materiais.

Trabalho & Vocação

Independente e progressista, você pode se expressar escrevendo ou falando e, com esse dom, pode optar por uma carreira na área da educação. Idealista e franco, você é uma pessoa observadora e articulada, que sabe perceber os detalhes. Isso sugere que você pode usar as suas habilidades analíticas para revisar e corrigir trabalhos feitos por outras pessoas e seguir uma carreira nos meios de comunicação, como jornalista ou repórter. Mas a sua excelente habilidade executiva e seu senso para os negócios podem levá-lo ao mundo comercial, bancário ou da Bolsa de Valores. Se, por outro lado, você quiser explorar a sua veia criativa, pode sentir-se inspirado para atuar no mundo dos esportes, da arte ou do *show business.* Humanitário e dinâmico, você pode usar as suas habilidades práticas por meio de trabalhos de assistência social ou de causas ligadas a questões políticas ou sociais.

ESTRELAS FIXAS

Embora o grau do seu Sol não esteja associado a nenhuma estrela fixa, alguns de seus outros planetas certamente estão. Por meio do seu mapa astrológico, você pode encontrar a posição exata dos planetas na sua data de nascimento e poderá saber quais das estrelas fixas listadas neste livro são relevantes para você.

Numerologia

O dia de aniversário número 16 sugere que você é uma pessoa ponderada, sensível e amigável. Embora tenha espírito analítico, você muitas vezes avalia a vida e as pessoas de acordo com o que sente. Como uma personalidade número 16, no entanto, você pode ter tensões internas quando precisa enfrentar o conflito entre a sua necessidade de auto-expressão e a responsabilidade para com os outros. Você pode se interessar por assuntos mundanos e pode se juntar a organizações internacionais ou a empresas de meios de comunicação. Os que são criativos têm talento para escrever e podem ter *flashes* súbitos de inspiração. Com o dia de aniversário número 16, você precisa aprender a equilibrar momentos de autoconfiança excessiva com momentos em que se sente inseguro. A subinfluência do mês número 2 indica que você busca a harmonia interior e é muitas vezes intuitivo e altamente idealista. Você tem valores humanitários e pode ser atencioso e gentil, disposto a dar o máximo de si para qualquer causa em que acredite. Ainda que seja sensível às outras pessoas, a tendência a ser desconfiado ou mal-humorado sugere que, às vezes, você pode alternar entre ser generoso e entusiástico e ser inseguro e indeciso. Talvez seja preciso superar a tendência a ser inquieto ou impaciente.

Positivo: educação superior, responsabilidade para com a casa e a família, integridade, intuição, sociabilidade, cooperação, compreensivo

Negativo: preocupado, sempre insatisfeito, irresponsável, auto-promoção, dogmático, cético

Amor & Relacionamentos

Você se sente mais feliz quando está na companhia de outras pessoas. Isso pode incluir pessoas mentalmente estimulantes ou que tenham os mesmos interesses que você. Quando evita a tendência a ser excessivamente sério ou brigão, você consegue se manter neutro e com uma perspectiva equilibrada. Inteligente e arguto, você pode criar harmonia e ter uma satisfação duradoura quando usa a sua habilidade psicológica natural para compreender os seus relacionamentos.

ALGUÉM ESPECIAL

Para manter o seu interesse em relacionamentos duradouros, você pode começar procurando as pessoas nascidas nas seguintes datas:

♥ **Amor & amizade**: jan: 6, 11, 16; fev: 4, 14; mar: 2, 12, 28, 30; abr: 10, 26, 28; mai: 8, 24, 26, 30; jun: 1, 6, 22, 24, 28; jul: 4, 20, 22, 26, 31; ago: 2, 18, 20, 24, 29; set: 16, 18, 22, 27, 28; out: 14, 16, 20, 25; nov: 12, 14, 18, 23; dez: 10, 12, 16, 21

Relacionamentos benéficos: jan: 9, 14, 16; fev: 7, 12, 14; mar: 5, 10, 12; abr: 3, 8, 10; mai: 1, 6, 8; jun: 4, 6, 12; jul: 2, 4; ago: 2; set: 30; out: 4, 28; nov: 26, 30; dez: 24, 28, 29

Atrações fatais: jan: 21; fev: 19; mar: 17; abr: 15; mai: 13; jun: 11; jul: 9; ago: 7, 19, 20, 21, 22, 23; set: 5; out: 3; nov: 1

Relacionamentos desafiantes: jan: 4, 13, 28; fev: 2, 11, 26; mar: 9, 24; abr: 7, 22; mai: 5, 20; jun: 3, 18; jul: 1, 16; ago: 14; set: 12; out: 10, 31; nov: 8, 29; dez: 6, 27

Alma gêmea: jan: 15, 22; fev: 13, 20; mar: 11, 18; abr: 9, 16; mai: 7, 14; jun: 5, 12; jul: 3, 10; ago: 1, 8; set: 6; out: 4; nov: 2

17 de Fevereiro

O seu dia de aniversário em Aquário revela que você é uma pessoa com força de vontade e determinada, prática e individualista e que tem uma mente ativa. Ambicioso e persistente, você tem uma presença forte e boa capacidade de organização, o que indica um desejo constante de aperfeiçoamento tanto material quanto social. Ativo e produtivo, você gosta do poder e, por isto, está sempre se desafiando. Ainda que tenha habilidade natural para liderar, você se beneficia com o desenvolvimento da sua paciência pois, assim, pode evitar a tendência a ser muito dominador. Felizmente, você tem capacidade para superar os obstáculos e alcançar resultados extraordinários.

Com a influência adicional do seu Sol no decanato de Libra, você pode ser uma pessoa sociável e divertida, dotada de senso artístico e apreciação criativa. É provável que você se beneficie por meio de pessoas do sexo feminino e que tenha um amplo círculo de amigos. Com a habilidade para ser charmoso no trato pessoal, você sabe combinar negócios com prazer quando necessário.

SOL: AQUÁRIO
DECANATO: LIBRA/VÊNUS
GRAU: 27°-28°30' AQUÁRIO
MODO: FIXO
ELEMENTO: AR

Com a sua mente inventiva e analítica, você muitas vezes tem idéias originais e lucrativas. Porém, a sua atitude rebelde ou obstinada pode ser um obstáculo para a sua realização e pode levá-lo a um comportamento autodestrutivo.

Até os 32 anos de idade, quando o seu Sol transita pelo signo de Peixes, você desenvolve uma vida interior significativa e amplia a sua sensibilidade emocional. Isso pode se manifestar por meio de visões, sonhos e ideais, bem como da sua vida social. Aos 33 anos de idade, a sua vida passa por uma outra mudança, quando o seu Sol progredido entra no signo de Áries, enfatizando a necessidade de tomar iniciativas, ter novas idéias ou ser corajoso e direto nos seus relacionamentos com outras pessoas. A sua vida passa por outra mudança aos 63 anos de idade, quando o seu Sol progredido entra no signo de Touro, acentuando a necessidade de aumentar a sua estabilidade e de ter uma abordagem prática da vida.

O Seu Eu Secreto

Trabalhador, você tem resistência, vigor e coragem. Como é uma pessoa orgulhosa e dramática, pode ser que você precise se controlar para não ser condescendente com os outros ou, em caso de tensão, tornar-se irritadiço. Quando desenvolve o autocontrole, você adquire um maior senso de satisfação e é capaz de ajudar as pessoas com o seu bom senso e realismo e usando o que aprendeu por intermédio da sua própria experiência.

Você gosta de competições mentais e pode ser rápido como um raio com as suas observações. Quando tem fé interior, você sabe ser ousado o bastante para ser espontâneo e seguir a sua alma. Isso pode ajudá-lo a superar a tendência a ser cético ou a duvidar de si mesmo. Quando o seu amor ao conhecimento e sua compreensão rápida se combinam com o seu senso aguçado para os negócios, você tem o poder de alcançar extraordinários resultados na vida.

Trabalho & Vocação

Trabalhador, criativo e independente, você tem talentos únicos e habilidades executivas. Como possui uma boa capacidade de raciocínio, você sabe investigar as questões e chegar ao âmago das coisas. Você pode sentir-se atraído pela carreira de detetive ou trabalhar como advogado. Prático, você usa a sua capacidade de organização para administrar grandes corporações. Mas você também tem talento para escrever os seus pensamentos e uma mente imaginativa e pode se dedicar à literatura ou educação ou, ainda, a ensinar habilidades técnicas. Como valoriza a sua independência e não gosta de receber ordens, você, na maioria das vezes, prefere ocupar posições de autoridade; você pode ser um excelente gerente ou supervisor.

ESTRELAS FIXAS

Embora o grau do seu Sol não esteja associado a nenhuma estrela fixa, alguns de seus outros planetas certamente estão. Por meio do seu mapa astrológico, você pode encontrar a posição exata dos planetas na sua data de nascimento e poderá saber quais das estrelas fixas listadas neste livro são relevantes para você.

Numerologia

Com o dia de aniversário número 17 você é uma pessoa astuta, dotada de uma natureza reservada e de boa capacidade de análise. Você é um pensador independente que se beneficia por meio dos estudos e do aprendizado de habilidades. Você em geral utiliza o seu conhecimento de forma específica, para desenvolver a sua especialização e pode alcançar o sucesso material ou uma posição de influência como especialista ou pesquisador. Reservado, introspectivo e distante, dotado de um grande interesse por informações e números, você freqüentemente tem um comportamento ponderado e gosta de fazer as coisas no próprio ritmo. Se desenvolver a sua capacidade de comunicação, você pode descobrir muitas coisas acerca de si mesmo e a respeito das outras pessoas.A subinfluência do mês número 2 indica que você é receptivo e intuitivo. Apesar de amigável e sociável, a sua natureza independente sugere que você tem pensamentos originais e uma perspectiva única. Se não tiver fé ou compreensão do seu eu superior, você pode duvidar de si mesmo ou ficar indeciso. Você tem valores humanitários, uma perspectiva universal e progressista e disposição para reformas de cunho social ou causas justas.

Positivo: ponderado, especialista, bom planejador, bom senso para os negócios, atrai dinheiro, pensamento independente, resistente, preciso, habilidade para a pesquisa, científico

Negativo: desapegado, teimoso, descuidado, mal-humorado, mentalmente estreito, crítico, preocupado, desconfiado

Amor & Relacionamentos

Sociável e brilhante, você gosta da companhia de pessoas interessantes e pouco convencionais e se relaciona com facilidade com diferentes grupos. Todavia, você pode, ocasionalmente, ficar indeciso quanto aos seus sentimentos ou compromissos duradouros. Muitas vezes atraído por pessoas poderosas mas criativas, a sua necessidade de amor, intimidade e compreensão vai de encontro à sua imagem forte e assertiva. Quando se apaixona, você precisa evitar se martirizar e ser temperamental. Você gosta que tudo aconteça do seu jeito mas pode ser um parceiro leal e atencioso.

ALGUÉM ESPECIAL

Você pode encontrar um parceiro que compreenda a sua sensibilidade e sua necessidade de amor entre as pessoas nascidas nas seguintes datas:

Amor & amizade: jan: 7, 17, 20, 21; fev: 5, 15, 18; mar: 3, 13, 16, 29, 31; abr: 1, 11, 14, 15, 27, 29; mai: 9, 12, 25, 27; jun: 7, 10, 11, 23, 25; jul: 5, 8, 21, 23; ago: 3, 6, 19, 21; set: 1, 4, 17, 19; out: 2, 3, 15, 17; nov: 13, 15, 30; dez: 11, 13, 28

Relacionamentos benéficos: jan: 15, 17, 24, 28; fev: 13, 15, 22, 26; mar: 11, 13, 24; abr: 9, 11, 22; mai: 7, 9, 20; jun: 5, 7, 14, 18; jul: 3, 5, 16; ago: 1, 3, 14; set: 1, 12; out: 6, 10, 29; nov: 8, 27; dez: 6, 25

Atrações fatais: jan: 5; fev: 3; mar: 1; ago: 21, 22, 23

Relacionamentos desafiantes: jan: 4, 5, 14; fev: 2, 3, 12; mar: 1, 10; abr: 8, 30; mai: 6, 28; jun: 4, 26; jul: 2, 24; ago: 22; set: 20; out: 18; nov: 16; dez: 14

Alma gêmea: jan: 2; mar: 29; abr: 27; mai: 25; jun: 23; jul: 21; ago: 19; set: 17; out: 15; nov: 13; dez: 11

18 de Fevereiro

Dinâmico, persuasivo e muito individualista, você combina de forma interessante um impulso material com ideais humanitários. Sociável e charmoso, ainda que reservado, você gosta de poder e de dar início a novos projetos. Um dos seus maiores desafios é manter o equilíbrio entre o seu trabalho e os seus relacionamentos íntimos.

Com a influência adicional do seu Sol no decanato de Libra, você aprecia a beleza e a arte e tem senso estético. Como é naturalmente dramático, você tem idéias únicas que podem ser expressas por meio da música, da literatura ou do teatro. Você é independente, mas dá importância aos seus relacionamentos e tem consciência do valor de trabalhos em parceria e em equipe. Com interesse pelas pessoas, você gosta de ter um papel de liderança mas deve evitar ser muito crítico ou controlador.

SOL: AQUÁRIO
DECANATO: LIBRA/VÊNUS
GRAU: 28°-29°30' AQUÁRIO
MODO: FIXO
ELEMENTO: AR

Você pode ser uma pessoa vulnerável mas inflexível, e os outros o vêem como uma mistura de amor e disciplina difícil de ser compreendida. As questões de ordem financeira ocupam muito da sua atenção, mas com o seu senso aguçado para os negócios e determinação você tem potencial para comercializar os seus talentos. Resoluto e dedicado quando tem um objetivo, você quer criar algo que seja original. Quando tem fé, você normalmente sente que tudo flui espontaneamente. Contudo, quando se sente em dúvida, você pode se apegar ao passado e perder o senso de oportunidade. Você, muitas vezes, tem a feliz habilidade de encarar a autodisciplina como um investimento positivo.

Até os 31 anos de idade, quando o seu Sol transita pelo signo de Peixes, você desenvolve o seu senso de visão e amplia a sua sensibilidade emocional. Isso pode encorajá-lo a ter metas idealistas, artísticas ou espirituais. Aos 32 anos de idade, a sua vida passa por uma outra mudança, quando o seu Sol progredido entra no signo de Áries, e você passa a ter uma maior necessidade de ser mais assertivo, ativo e direto na sua vida cotidiana e é possível que dê início a novos empreendimentos. A sua vida passa por outra mudança aos 62 anos de idade, quando o seu Sol progredido entra no signo de Touro, acentuando a necessidade de ter estabilidade e segurança.

O Seu Eu Secreto

Em um nível interior você é extremamente sensível, especialmente no tocante à expressão do amor e dos sentimentos. Pode ser que você tenha tido, na sua juventude, muitas dificuldades relacionadas à expressão das suas emoções, o que o pode levar a ser cético ou retraído. Quando confia nas outras pessoas e abre o seu coração, você pode ser extremamente generoso e compassivo. Esse sentimento universal pode até estimular um interesse por assuntos de natureza mística ou espiritual. Quando aprende a esquecer o passado e aceitar a vida como ela é, você se torna mais desapegado e passa a encarar a vida com um certo senso de humor.

Como tem profundos sentimentos e um espírito humanitário, isso pode encorajá-lo a lutar por um ideal ou uma causa. Altamente intuitivo, você muitas vezes tem um desempenho melhor quando confia nos próprios instintos e se deixa guiar pelas suas primeiras impressões.

Trabalho & Vocação

Trabalhador e responsável, você tem disposição para fazer sacrifícios, mas precisa manter um equilíbrio saudável entre o dever e o prazer. Como é independente, você quer ter liberdade para expressar os seus pensamentos originais. Você prospera quando é encorajado e tem uma reação positiva das pessoas com as quais trabalha. Na maior parte das vezes uma pessoa idealista e charmosa, você gosta de trabalhar com o público e apóia com veemência as reformas de cunho social. Intuitivo e inteligente, com talento para os negócios, você pode seguir uma carreira de administração na qual pode usar a sua capacidade crítica e analítica para aconselhar as outras pessoas. Amigável e diplomático, você sabe combinar negócios com prazer. No entanto, você precisa aprender a não se ofender ou levar muito a sério as outras pessoas.

ESTRELAS FIXAS

Embora o grau do seu Sol não esteja associado a nenhuma estrela fixa, alguns de seus outros planetas certamente estão. Por meio do seu mapa astrológico, você pode encontrar a posição exata dos planetas na sua data de nascimento e poderá saber quais das estrelas fixas listadas neste livro são relevantes para você.

Numerologia

Determinação, assertividade e ambição são algumas das qualidades associadas ao dia de aniversário número 18. Ativo, com necessidade de enfrentar desafios, você gosta de se manter ocupado e muitas vezes se envolve em algum tipo de empreendimento. Capaz, trabalhador e responsável, você muitas vezes alcança posições de autoridade. Mas a sua grande aptidão para os negócios e habilidade de organização podem levá-lo a trabalhar no mundo do comércio. Como tem a tendência a se sobrecarregar com o trabalho, aprenda a relaxar e a diminuir o ritmo periodicamente. Como personalidade número 18, você pode usar o seu poder para curar as pessoas, dar bons conselhos ou resolver os problemas delas. A subinfluência do mês número 2 indica que você é intuitivo e criativo, com pensamentos originais e inspirados. Você é receptivo e amigável, mas tem aversão a restrições e a responsabilidades, o que indica que não gosta de rotina. Embora seja idealista e tenha habilidades práticas e idéias originais, você precisa aprender a manter-se equilibrado para ter paz interior e tranqüilidade.

⬆ **Positivo**: progressista, assertivo, intuitivo, corajoso, resoluto, habilidade para cura, eficiente, habilidade para aconselhar

⬇ **Negativo**: emoções descontroladas, preguiçoso, falta de ordem, egoísmo, incapacidade de concluir trabalhos e projetos

Amor & Relacionamentos

Intuitivo e sensível, você precisa de liberdade para expressar os seus sentimentos mais profundos. Amigável e inteligente, você gosta da companhia de pessoas criativas que sabem se divertir. De um modo geral, você quer ter relacionamentos significativos e sérios e é um parceiro leal e amoroso. Quando está com uma disposição espontânea, você gosta de seguir o seu coração e de fazer coisas impulsivamente com os seus parceiros e amigos. Todavia, você tem tendência a se sacrificar pelas pessoas que ama, o que indica a necessidade de ter algum discernimento. A amizade é um elemento importante nos seus relacionamentos.

ALGUÉM ESPECIAL

Para encontrar o verdadeiro amor e a felicidade, você pode ter mais sucesso com as pessoas nascidas nas seguintes datas:

Amor & amizade: jan: 4, 8, 18, 19, 23; fev: 2, 6, 16, 17, 21; mar: 4, 14, 15, 19, 28, 30; abr: 2, 12, 13, 17, 26, 28, 30; mai: 10, 11, 15, 24, 26, 28; jun: 8, 9, 12, 13, 22, 24, 26; jul: 6, 7, 11, 20, 22, 24, 30; ago: 4, 5, 9, 18, 20, 22, 28; set: 2, 3, 7, 16, 18, 20, 26; out: 1, 4, 5, 14, 16, 18, 24; nov: 3, 12, 14, 16, 22; dez: 2, 201, 10, 12, 14, 20

Relacionamentos benéficos: jan: 5, 16, 27; fev: 3, 14, 25; mar: 1, 12, 23; abr: 10, 21; mai: 8, 19; jun: 6, 17; jul: 4, 15; ago: 2, 13; set: 11; out: 9, 30; nov: 7, 28; dez: 5, 25, 30

Atrações fatais: jan: 17; fev: 15; mar: 13; abr: 11; mai: 9; jun: 7; jul: 5; ago: 3, 21, 22, 23, 24; set: 1

Relacionamentos desafiantes: jan: 1, 10, 15; fev: 8, 13; mar: 6, 11; abr: 4, 9; mai: 2, 7; jun: 5; jul: 3, 29; ago: 1, 27; set: 25; out: 23; nov: 21; dez: 19, 29

Alma gêmea: ago: 30; set: 28; out: 26; nov: 24; dez: 22

19 de Fevereiro

Nascido na cúspide de Aquário e Peixes, você tem a vantagem de ser mentalmente inventivo, sensível e idealista. Você se comunica de forma direta e franca e prefere ser honesto nos seus relacionamentos. Amigável, caloroso e expansivo, você tem talento para lidar com as pessoas. No entanto, você precisa superar a tendência a ser irritadiço e teimoso, pois isso pode interferir no seu carisma e isolá-lo das outras pessoas.

Com a influência adicional do seu Sol entre os decanatos de Libra e Peixes, você pode ser uma pessoa romântica, criativa e visionária, dotada de um intelecto intuitivo. Gregário, você precisa da companhia das pessoas e precisa ter uma vida social ativa. A imagem e o *status* podem ser importantes para você e, por essa razão, gosta de se apresentar de forma respeitável. Contudo, a sua natureza também tem um lado mais excêntrico ou pouco convencional que pode se refletir nas suas idéias únicas e originais, muitas vezes à frente do seu tempo.

SOL: CÚSPIDE DE AQUÁRIO E PEIXES
DECANATO: LIBRA/VÊNUS
GRAU: 29°30'- AQUÁRIO -0°30' PEIXES
MODO: FIXO/MUTÁVEL
ELEMENTO: AR/ÁGUA

Com um senso inato para os negócios, você sabe perceber as oportunidades. A sua tendência a se desencorajar pode, às vezes, impedir que você se dedique e tenha a perseverança e a determinação necessárias para atingir os seus objetivos. Porém, quando está com uma disposição positiva, você é capaz de ter pensamentos inspirados e determinação. Com o seu senso de justiça e compaixão, você tem convicções fortes e muitas vezes defende os seus ideais ou luta em nome de outras pessoas.

Até os 30 anos de idade, quando o seu Sol transita pelo signo de Peixes, a sua sensibilidade emocional se amplia, tornando-o mais imaginativo, receptivo e consciente do seu grupo social. Você pode se tornar uma pessoa visionária ou interessada em desenvolver os seus talentos criativos ou espirituais. Aos 31 anos de idade, a sua vida passa por uma outra mudança, quando o seu Sol progredido entra no signo de Áries. A sua ambição e determinação se tornam mais aparentes e você realmente se torna uma pessoa independente. É possível que nessa época você dê início a novos empreendimentos. A sua vida passa por outra mudança aos 61 anos de idade, quando o seu Sol progredido entra no signo de Touro, acentuando uma maior necessidade de estabilidade, segurança e tranqüilidade emocional.

O Seu Eu Secreto

Com o desejo interior de se expressar, você pode sentir-se atraído pela literatura, arte, música ou teatro, em nível profissional ou apenas como passatempo. Quando aborda os problemas de maneira leve e criativa, você fica menos propenso à indecisão e à preocupação. Você pode ter oportunidades e vantagens de lugares inesperados e que podem não parecer ser muito importantes, mas não as ignore porque mais tarde perceberá o quanto podem ser significativas na sua vida.

Liberal e humanitário, você vê a vida de uma perspectiva universal. Todavia, às vezes, você pode sentir uma insatisfação inconsciente que deriva de desapontamentos com a sua situação ou com os outros. Quando sentir essa frustração, evite a tentação de desistir muito facilmente ou de tomar o caminho mais fácil. Quando desenvolve um distanciamento mental e perseverança, você pode ter mais confiança e alcançar um sucesso extraordinário.

Trabalho & Vocação

ESTRELAS FIXAS

Fom Al Haut, Sad Al Meik

ESTRELA PRIMÁRIA

Nome da estrela:
Fom Al Haut
Posição:
2°51'-3°51' de Peixes, entre os anos de 1930 e 2000
Magnitude:
1
Força:
★★★★★★★★★★
Órb:
2°30'
Constelação:
Alpha Piscis Australis
Dias:
19, 20, 21, 22, 23, 24 e 25 de fevereiro
Qualidades da estrela:
Vênus/Mercúrio
Descrição:
uma estrela avermelhada localizada na boca do Peixe do Sul.

A sua personalidade carismática e seu talento para lidar com as pessoas sugerem que você gosta de trabalhar com o público. Persuasivo e consciente da sua imagem, você pode trabalhar nas áreas de vendas e promoções ou de publicidade. Mas pode ser que você queira se expressar por meio do mundo do *design* e da moda ou, ainda, por meio do teatro, da dança ou da música. Espirituoso e com bom senso de humor, você pode ser uma pessoa divertida e ser bem-sucedido como gerente de clubes. Como gosta de conhecer o maior número possível de pessoas, você pode ter um bom desempenho em grandes organizações nas quais pode progredir e chegar ao topo da sua profissão. Contudo, para isso é preciso trabalhar duro, concluir o que começou e não deixar tudo para a última hora.

Numerologia

Vivaz, ambicioso e humanitário são algumas das formas pelas quais as pessoas descrevem os nascidos no dia 19. Decidido e habilidoso, você tem uma visão profunda, mas o lado sonhador da sua natureza é compassivo, idealista e criativo. Apesar de sensível, a necessidade de ser alguém pode ser a mesma coisa que o leva a ser dramático e a reivindicar o centro das atenções. Muitas vezes, há um forte desejo de estabelecer a sua individualidade. Para isso, você precisa primeiro superar a pressão das outras pessoas. Para os outros, você pode aparentar ser confiante, carismático e habilidoso, mas as tensões internas podem provocar uma instabilidade emocional. A subinfluência do mês número 2 indica que você é receptivo e intuitivo, com uma personalidade dramática. Você prospera quando é encorajado e é susceptível ao seu ambiente. Você é uma pessoa cortês e romântica e tem consideração e sensibilidade pelos sentimentos alheios. Embora seja amigável e sociável, e tenha talento para lidar com as pessoas, a sua natureza inquieta e propensa a oscilações de humor revela a sua vulnerabilidade.

Positivo: dinâmico, centrado, líder, sortudo, progressista, otimista, fortes convicções, competitivo, independente, gregário, disciplinado

Negativo: autocentrado, preocupado, medo de ser rejeitado, instabilidade emocional, materialista, egotista, impaciente

Amor & Relacionamentos

Como gosta de se divertir e tem espírito gregário, você é, quase sempre, uma pessoa popular e não tem dificuldade para atrair admiradores. Entretanto, talvez seja necessário que você desenvolva a sua capacidade de discernimento para evitar dar o seu calor humano e devoção a pessoas que não merecem. Atencioso, solidário e com aparência confiante, as pessoas o procuram em busca de conselhos e de apoio, mas isso nem sempre é recíproco e talvez você precise aprender a escolher bem o seu círculo de amigos íntimos. Generoso e atencioso com as pessoas que ama, você tem um charme encantador que é um trunfo valioso nos seus relacionamentos.

INFLUÊNCIA DA ESTRELA PRIMÁRIA

Fom Al Haut é uma das quatro estrelas reais e marca o solstício de inverno. Fom Al Haut é uma estrela especialmente poderosa e por isto confere boa fortuna, sucesso e uma mentalidade aguçada. Esta estrela também indica a necessidade de mudar de um ponto de vista material para um ponto de vista espiritual. Ligada ao grau do seu Sol, esta estrela indica bom ritmo, receptividade e a tendência a seguir a corrente. Facilmente influenciado pelo seu ambiente, você quer se conhecer e se expressar criativamente. Esta estrela também sugere que você pode ter legados e heranças, mas adverte contra a tendência a dilapidá-los ou a gastá-los muito rapidamente.

- **Positivo**: controle do orçamento, idealista, imaginativo, criativo
- **Negativo**: assuntos legais custosos, falta de compreensão, falta de cuidado

Consulte o Apêndice para obter mais informações acerca das estrelas fixas.

ALGUÉM ESPECIAL

É mais provável que você encontre o amor e o sucesso com as pessoas nascidas nas seguintes datas:

Amor & amizade: jan: 5, 9, 18, 19, 23; fev: 3, 7, 16, 17, 21; mar: 1, 5, 14, 15, 31; abr: 3, 12, 13, 29; mai: 1, 10, 11, 27, 29; jun: 4, 8, 9, 25, 27; jul: 6, 7, 23, 25, 31; ago: 4, 5, 21, 23, 29; set: 2, 3, 19, 21, 27, 30; out: 1, 7, 19, 25, 28; dez: 13, 15, 21, 24

Relacionamentos benéficos: jan: 1, 6, 17; fev: 4, 15; mar: 2, 13; abr: 11; mai: 9; jun: 7; jul: 5; ago: 3; set: 1; out: 31; nov: 29; dez: 27

Atrações fatais: ago: 22, 23, 24, 25

Relacionamentos desafiantes: jan: 2, 16; fev: 14; mar: 12; abr: 10; mai: 8; jun: 6; jul: 4; ago: 2; dez: 30

Alma gêmea: jan: 11, 31; fev: 9, 29; mar: 7, 27; abr: 5, 25; mai: 3, 23; jun: 1, 21; jul: 19; ago: 17; set: 15; out: 13; nov: 11; dez: 9

Pessoas famosas de Aquário

21 de janeiro
Christian Dior, Paul Scofield, Telly Savalas, Geena Davis, Jerome Kern, Placido Domingo, Hakeen Olajuwon, Jack Nicholaus, Leardbelly, Mac Davis

22 de janeiro
Lord Byron, Michael Hutchence, Sam Cooke, Sir Francis Bacon, John Hurt, D. W. Griffith, George Balanchine, Bill Bixby, Plínio Salgado, Rasputin, Barbosa Lima Sobrinho

23 de janeiro
Edouard Manet, Humphrey Bogart, Caroline de Mõnaco, Jeanne Moreau, Anita Pointer, Chita Rivera, Sergei Eisenstein, Stendhal, Richard Dean Anderson, Tiffani-Amber Thiessen, Derek Walcott, Django Reinhardt, Alberto Venâncio Filho, João Ubaldo Ribeiro

24 de janeiro
Neil Diamond, Nastassja Kinski, Edith Wharton, John Belushi, Mary Lou Retton, Aaron Neville, Hadrian

25 de janeiro
Somerset Maugham, Virgínia Woolf, Jacqueline Du Pré, Robert Burns, Wilhelm Furtwangler, Etta James, Corazon Aquino, Leni Andrade, Tom Jobim

26 de janeiro
Paul Newman, Douglas MacArthur, Eartha Kitt, Eddie Van Halen, Anita Baker, Angela Davis, Stephane Grapelli, Roger Vadim, Wayne Gretsky, Gene Siskel, Antonio Callado, Chico César

27 de janeiro
Wolfgang Amadeus Mozart, Bridget Fonda, John Ogden, Lewis Carroll, William Randolph Hearst Jr., Jerome Kern, Dorna Reed, Lewis Carroll, Radamés Gnattali, Djavan, Valdir Azevedo

28 de janeiro
Arthur Rubinstein, Colette, Mikhail Baryshnikov, Alan Alda, Jackson Pollock, Elijah Wood, Henrique VII

29 de janeiro
Oprah Winfrey, Germaine Greer, Tom Selleck, W. C. Fields, Thomas Paine, Anton Chekhov, Greg Louganis, Ann Jillian, John Forsythe, Willian McKinley

30 de janeiro
Vanessa Redgrave, James Watt, Franklin Roosevelt, Gene Hackman, Jody Watley, Brett Butler, Christian Bale, Louis Rukeyser, Harold Prince, Boris Spassky, Ernie Banks, Mario de Alencar, Erivelto Martins

31 de janeiro
Phil Collins, Franz Schubert, Philip Glass, Norman Mailer, Carol Channing, John Lydon, Mario Lanza, Nolan Ryan, Jackie Robinson, Suzanne Pleshette, Oe Kenzaburo, Arma Pavlova, Zane Grey

01 de fevereiro
Clark Gable, Boris Yeltsin, John Ford, Fritjof Capra, Sherilyn Fenn, Rick James, Don Everly, Garrett Morris, Lisa Marie Presley, Laura Dern, Oscar Dias Corrêa

02 de fevereiro
James Joyce, Ayn Rand, Havelock Ellis, Jascha Heifetz, Graham Nash, Farrah Fawcett, Holly Hunter, Liz Smith, Christie Brinkley, Stan Getz

03 de fevereiro
Gertrude Stein, James Michener, Morgan Fairchild, Norman Rockwell, Fran Tarkenton, Dave Davies.

04 de fevereiro
Dan Quayle, Alice Cooper, Rosa Parks, Isabel Perón, Charles Lindbergh, Betty Friedan, Ida Lupino, Lawrence Taylor, Betty Friedan, David Brenner, Zeca Pagodinho

05 de fevereiro
Charlotte Rampling, Barbara Hershey, Hank Aaron, Sir Robert Peel, Bobby Brown, Adlai Stevenson, William Burroughs, Red Buttons, Christopher Guest, Jennifer Jason Leigh

06 de fevereiro
Ronald Reagan, Zsa Zsa Gabor, Axl Rose, Bob Marley, Natalie Cole, Babe Ruth, Rip Tom, François Truffaut, Tom Brokaw, Padre Antonio Vieira, Jair Rodrigues

07 de fevereiro
Alfred Adler, Laura Ingalls Wilder, Charles Dickens, Sinclair Lewis, Juliette Greco, Garth Brooks, Jason Gedrick, Charles Dickens, Eubie Blake, Clementina de Jesus

08 de fevereiro
Lana Turner, James Dean, Jack Lemmon, Nick Nolte, Evangeline Adams, Julio Verne, Emmanuel Swedenborg, King Vidor, John Williams, Martin Buber, Mary Steenburgen, Ted Koppel, John Grisham

09 de fevereiro
Alice Walker, Brendan Behan, Carole King, Mia Farrow, Joe Pesei, Jacques Monod, Carolina Nabuco, Judith Light, Carmen Miranda

10 de fevereiro
Jimmy Durante, Robert Wagner, Boris Pasternak, Berthold Brecht, Harold Macmillan, Mark Spitz, Roberta Flack, Leontyne Price, George Stephanopoulos, Greg Norman, Peter Allen, Cauby Peixoto, Antônio Adolfo

11 de fevereiro
Thomas Edison, Mary Quant, Jennifer Aniston, Tina Louise, Fyodor Dostoyevsky, Burt Reynolds, Leslie Nielsen, Eva Ga-bor, Virginio Johnson Masters, Sergio Mendes

12 de fevereiro
Abraham Lincoln, Charles Darwin, Ray Manzarek, Arsenio Hall, Franco Zeffirelli, Scott Turow, Chynna Phillips, Joanna Kerns, Judy Blume, Martinho da Vila

13 de fevereiro
Peter Gabriel, Tennessee Emie Ford, Kim Novak, Stockard Channing, Oliver Reed, George Segal, Guilherme de Figueiredo

14 de fevereiro
Alan Parker, James Hoffa, Jack Benny, Frederick Douglass, Gregory Hines, Carl Bernstein, Florence Henderson, Meg Tilly, João do Bandolim

15 de fevereiro
Jane Seymour, Claire Bloom, Marisa Berenson, Galileu Galilei, Melissa Manchester, John Barrymore, Charles Tiffany, Matt Groening, Havey Korman, Cesar Romero, Susan B. Anthony

16 de fevereiro
John McEnroe, John Schlesinger, Sonny Bono, Levar Burton, George Kennan, Edgar Bergen, James Ingram, Patty Andrews, Andy Taylor

17 de fevereiro
Michael Jordan, Huey Newton, Ruth Rendell, Isabelle Eberhardt, Barry Humphries, Alan Bates, Diamond Phillips, Hal Holbrook, Gene Pitney

18 de fevereiro
Yoko Ono, John Travolta, Matt Dillon, Cybill Shepherd, Niccoló Paganini, Andrés Segovia, Ramakrishna, Helen Gurley Brown, Toni Morrison, Vanna White, Lédo Ivo

19 de fevereiro
Nicolau Copérnico, Smokey Robinson, Amy Tan, Merle Oberon, Lee Marvin, Príncipe Andrew, Cindy Crawford, Andrew Shue

Estrelas fixas de Aquário

Para as pessoas que nasceram em dias que recebem a influência de mais de uma estrela fixa, segue aqui uma lista completa das estrelas fixas e seus de atributos. Você também pode usar este apêndice juntamente com o seu mapa astrológico para aprender mais acerca do significado destes corpos celestiais.

Albireo

Nome da estrela: Albireo
Posição: 0°17'-1°16' de Aquário, entre os anos de 1930 e 2000
Magnitude: 3
Força: ★★★★★
Órb: 1°40'
Constelação: Beta Cygnus
Dias: 20, 21, 22 e 23 de janeiro
Qualidades da estrela: Mercúrio/Vênus
Descrição: uma estrela binária, amarelo topázio e azul safira, localizada na cabeça do Cisne.

A influência de Albireo confere uma natureza refinada e gentil e, muitas vezes, indica uma aparência elegante e bonita. Esta estrela sugere que você gosta de ordem, tem uma personalidade agradável e quer ser popular. Você pode contar com a ajuda de outros, quando mais precisar.

Ligada ao grau do seu Sol, esta estrela confere uma personalidade sociável e expansiva, que permite que você seja bem-sucedido no trato com o público. Albireo pode dar talento para escrever, especialmente a respeito de assuntos humanitários e sociais. Esta estrela também indica que você pode ter ocupações fora do comum e hábitos excêntricos, e adverte contra o radicalismo ou o extremismo.

- **Positivo**: comunicativo, liberal, idéias criativas, inventivo
- **Negativo**: rebelde, muito radical, excentricidade, pouco amigável

Altair

Nome da estrela: Altair, também chamada de Al Tair ou Águia
Posição: 0°47'-1°43' de Aquário, entre os anos de 1930 e 2000
Magnitude: 1
Força: ★★★★★★★★★★
Órb: 2°30'
Constelação: Alpha Aquila
Dias: 20, 21, 22, 23 e 24 de janeiro
Qualidades da estrela: Marte/Júpiter, Urano, Mercúrio
Descrição: uma estrela branca e amarela, localizada no pescoço da Águia.

Altair confere fortes desejos, confiança, ambição, uma atitude liberal, mas também uma natureza inflexível. Esta estrela indica que, embora você possa ser radical, a sua originalidade, sua excentricidade e suas idéias inventivas muitas vezes contrabalançam os seus deslizes. Altair também confere súbitos golpes de fortuna ou sucesso por meio de novas invenções e adverte que a instabilidade pode colocar em risco posições de autoridade.

Ligada ao grau do seu Sol, esta estrela concede originalidade, popularidade e tendências aventureiras. Altair também o leva a buscar o conhecimento e revela talento para escrever e para a educação. Muitas vezes ambicioso e ousado, você deseja mudar a sua sorte e pode ter ganhos e outros benefícios inesperados. Interessado por atividades em grupo, você sabe fazer amigos e influenciar as pessoas.

Positivo: original, inventivo, individualista, humanitário, criativo

Negativo: rebelde, antagônico, imprevisível

Giedi

Nome da estrela: Giedi, também chamada de Al Jady
Posição: 2°50'-3°48' de Aquário, entre os anos de 1930 e 2000
Magnitude: 4
Força: ★★★★
Órb: 1°40'
Constelação: Alpha Capricórnio
Dias: 23, 24 e 25 de janeiro
Qualidades da estrela: variadas influências: Vênus/Marte e Vênus/Mercúrio
Descrição: uma estrela binária amarela, cinzenta e lilás, localizada no chifre esquerdo da Cabra.

Giedi confere uma vida agitada e cheia de acontecimentos inesperados, golpes de sorte, sucesso súbito e associações fora do comum. Ela também sugere que você pode passar por períodos de instabilidade, por isso você deve aprender a esperar o inesperado.
Ligada ao grau do seu Sol, Giedi confere vitalidade, energia e uma personalidade dinâmica. Por meio de talentos criativos, inclusive o de escrever, esta estrela concede sucesso e popularidade com o público geral. Você pode ter amigos influentes que o apóiam e o favorecem. Giedi também adverte contra o criticismo e sugere que você deve evitar transações escusas.

Positivo: talentos criativos, popularidade, associações pouco convencionais, favores de outras pessoas

Negativo: instabilidade, excentricidade, criticismo

Dabih

Nome da estrela: Dabih
Posição: 3°4'-4°3' de Aquário, entre os anos de 1930 e 2000
Magnitude: 3
Força: ★★★★★★
Órb: 1°40'
Constelação: Beta Capricórnio
Dias: 23, 24, 25 e 26 de janeiro
Qualidades da estrela: Saturno/Vênus e Saturno/Urano
Descrição: uma estrela binária laranja-amarelada, localizada no olho esquerdo da Cabra.

Dabih confere posições de confiança e autoridade e uma natureza responsável que pode lhe dar reconhecimento público. Dabih também sugere que você pode ter uma natureza reservada e uma tendência à desconfiança. Ela adverte contra associações moralmente ofensivas ou a perdas por intermédio de amigos.
Ligada ao grau do seu Sol, esta estrela concede determinação e sucesso por meio de um progresso constante e trabalho duro. Dabih também sugere que você deve ser cauteloso e usar métodos convencionais na sua busca por oportunidades de promoção.

Positivo: trabalho duro, dedicação, perseverança

Negativo: desconfiança excessiva, dúvida

Oculus

Nome da estrela: Oculus
Posição: 3°44'-4°44' de Aquário, entre os anos de 1930 e 2000
Magnitude: 5
Força: ★★
Órb: 1°
Constelação: Pi Capricórnio
Dias: 24, 25 e 26 de janeiro
Qualidades da estrela: Vênus/Saturno

Descrição: uma pequena estrela branca e amarela localizada na boca do Peixe do Sul-no olho direito da Cabra.

Oculus confere um intelecto aguçado, um senso de dever e uma perspectiva pragmática. Embora tenha habilidade social e muitos amigos e conhecidos, o seu comportamento sombrio dá a impressão de um certo desapego. Contudo, esta estrela concede amigos leais que o ajudam a ser bem-sucedido.
Ligada ao grau do seu Sol, esta estrela indica charme e uma personalidade amigável. Oculus também concede popularidade e sucesso no trato com o público geral.

- **Positivo**: social, amigável, voltado para o grupo
- **Negativo**: isolado, pouco atencioso, excessivamente sério

Bos

Nome da estrela: Bos
Posição: 4°11'-5°1' de Aquário, entre os anos de 1930 e 2000
Magnitude: 5
Força: ★★
Órb: 1°
Constelação: Rho Capricórnio
Dias: 25 e 26 de janeiro
Qualidades da estrela: Vênus/Saturno
Descrição: uma pequena estrela branca localizada no rosto da Cabra.

Bos confere capacidade de discernimento, talento artístico e intelecto penetrante. Esta estrela também concede um grande senso de dever e o impele a ser diligente e trabalhador. Quando tem determinação e fortes convicções, esta estrela lhe dá sucesso e fortuna.
Ligada ao grau do seu Sol, esta estrela indica personalidade e convicções fortes, individualidade e senso de propósito. Bos também indica que você tem muitas áreas de interesse e deve evitar a tendência a ser muito radical.

- **Positivo**: boa capacidade mental, autocontrole, ambição, sucesso por meio do trabalho
- **Negativo**: excessivamente sério, atormentado, separações

Armus

Nome da estrela: Armus
Posição: 11°45'-12°45' de Aquário, entre os anos de 1930 e 2000
Magnitude: 5
Força: ★★
Órb: 1°
Constelação: Eta Capricórnio
Dias: 1, 2 e 3 de fevereiro
Qualidades da estrela: Marte/Mercúrio
Descrição: uma pequena estrela laranja e vermelha, localizada no coração da Cabra.

Armus confere originalidade, inventividade e uma natureza controversa, além de uma mente rápida e habilidade para impressionar as outras pessoas. Armus concede um talento especial para a oratória e respostas rápidas. Esta estrela também adverte contra a tendência a ser brigão ou desagradável e a propensão a uma inquietude interior, que pode provocar instabilidade.
Ligada ao grau do seu Sol, esta estrela concede independência, ações rápidas e mente alerta. É provável que você seja sociável e tenha sucesso por meio do trato com o público geral.

- **Positivo**: senso comum, habilidade de julgamento, oratória impressionante
- **Negativo**: irritabilidade, tensão mental, nervosismo, controvérsia

Dorsum

Nome da estrela: Dorsum
Posição: 12°51'-13°50' de Aquário, entre os anos de 1930 e 2000
Magnitude: 4
Força: ★★★★
Órb: 1°30'
Constelação: Theta Capricórnio
Dias: 2, 3 e 4 de fevereiro
Qualidades da estrela: Júpiter/Saturno
Descrição: uma pequena estrela branca e azul, localizada nas costas da Cabra.

Dorsum confere habilidade para alcançar os objetivos por meio da perseverança e da paciência. Muitas vezes uma pessoa habilidosa, você pode ser bem-sucedido em assuntos públicos.
Ligada ao grau do seu Sol, esta estrela concede um progresso lento mas estável e, muitas vezes, associado à responsabilidade. Dorsum o encoraja a explorar e a desenvolver a sua habilidade de escrever.

- **Positivo**: senso de dever, diplomacia, disposição para servir
- **Negativo**: tensão, insatisfação, falta de paciência

Castra

Nome da estrela: Castra
Posição: 19°30'-20°12' de Aquário, entre os anos de 1930 e 2000
Magnitude: 4
Força: ★★★★
Órb: 1°30'
Constelação: Epsilon Capricórnio
Dias: 8, 9 e 10 de fevereiro
Qualidades da estrela: Júpiter/Saturno
Descrição: uma pequena estrela amarelo-laranja, localizada na barriga da Cabra.

Castra confere capacidade de liderança, assertividade e proeminência em atividades públicas. Esta estrela também sugere que a paciência e o trabalho duro podem levá-lo ao sucesso, mas que o comportamento destrutivo pode resultar em fracassos.
Ligada ao grau do seu Sol, Castra concede honrarias em atividades literárias e realização em atividades ligadas à educação superior. Pode ser também que você tenha interesse por Filosofia ou Astrologia. Esta estrela pode também conferir intuição e poderes psíquicos.

- **Positivo**: perseverança, ambição, pensamento filosófico
- **Negativo**: falta de confiança, pessimismo

Nashira

Nome da estrela: Nashira
Posição: 20°48'-21°45' de Aquário, entre os anos de 1930 e 2000
Magnitude: 4
Força: ★★★★
Órb: 1°30'
Constelação: Gama Capricórnio
Dias: 10, 11, 12 e 13 de fevereiro
Qualidades da estrela: Saturno/Júpiter
Descrição: uma pequena estrela localizada no rabo da Cabra.

Nashira confere sucesso e habilidade para superar obstáculos e outros desafios. Muitas vezes, esta estrela concede uma natureza cautelosa e sugere que a paciência é recompensada e que o sucesso é alcançado depois das dificuldades.
Ligada ao grau do seu Sol, Nashira concede habilidade para escrever, gerenciar e executar e sucesso no trato com o público. Embora esta estrela possa indicar lutas, o sucesso obtido é duradouro e há a possibilidade de posições importantes depois de uma certa idade.

- **Positivo**: resistência, paciência, cautela
- **Negativo**: sentimentos tensos, insatisfação, irritabilidade

Sad al Suud

Nome da estrela: Sad Al Suud
Posição: 22°24'-23°20' de Aquário, entre os anos de 1930 e 2000
Magnitude: 3
Força: ★★★★★★
Órb: 1°30'
Constelação: Beta Aquarius
Dias: 11, 12, 13 e 14 de fevereiro
Qualidades da estrela: Mercúrio/Saturno e Sol/Urano
Descrição: uma estrela amarela localizada no ombro esquerdo de Aquário.

A influência de Sad Al Suud sugere criatividade, imaginação, intuição e habilidades psíquicas. Você pode se interessar por Astrologia e estudos metafísicos. Normalmente, você tem inclinação para a vida doméstica e adora a sua casa. Esta estrela também confere uma vida familiar feliz e ganhos por meio do casamento.
Ligada ao grau do seu Sol, esta estrela indica originalidade, sucesso no trato com o público e interesse por Astrologia, Filosofia ou assuntos espirituais. É provável que você seja uma pessoa competitiva, original e inventiva. Esta estrela também sugere a ocorrência de acontecimentos inesperados ou estranhos.

- **Positivo**: originalidade, criatividade, mudanças felizes, novas oportunidades
- **Negativo**: escândalos, ações precipitadas que podem se voltar contra a própria pessoa

Deneb Algedi

Nome da estrela: Deneb Algedi
Posição: 22°23'-23°39' de Peixes, entre os anos de 1930 e 2000
Magnitude: 3
Força: ★★★★★★
Órb: 1°40'
Constelação: Delta Capricórnio
Dias: 11, 12, 13 e 14 de fevereiro
Qualidades da estrela: Júpiter/Saturno
Descrição: uma pequena estrela localizada rabo da Cabra.

A influência de Deneb Algedi confere sucesso, fama e riqueza, além da habilidade para transformar situações difíceis em ocasiões bem-sucedidas. O seu bom senso para os negócios e sua personalidade assertiva podem encorajar as suas habilidades de liderança e execução. Normalmente, você é um bom estrategista e gosta de pensar em grandes termos. Com a influência de Deneb Algedi, você pode alcançar posições elevadas, embora tenha de aprender a ser discreto e seletivo ao escolher as suas companhias.
Ligada ao grau do seu Sol, esta estrela indica honrarias em trabalhos legais ou governamentais e progresso estável mas firme. Esta estrela também indica a necessidade de superar a tendência à impaciência ou irritação devido a problemas pequenos.

- **Positivo**: persuasivo, perceptivo, ambicioso, astuto
- **Negativo**: comportamento destrutivo, perda de oportunidades

As autoras

GERALDINE SULLIVAN, nascida em 4 de junho, é astróloga profissional, com vinte anos de experiência, e dá palestras em vários países, além de entrevistas a programas de televisão nos Estados Unidos. Com uma carreira astrológica bem-sucedida, Geraldine ministra *workshops* e cursos de extensão em Londres. Formada em Astrologia e em Psicologia, a autora também conduz pesquisas acerca de temas como inconsciente, sonhos e experiência mística.

SARAH CRAWFORD, nascida em 28 de maio, é numeróloga e astróloga profissional, com treze anos de experiência. Sarah trabalha como consultora astrológica em Londres e ministra cursos e *workshops* acerca de Astrologia e Numerologia. Sua dissertação de mestrado em Ciências Sociais teve como temas história e filosofia da civilização ocidental e incluiu pesquisas a respeito da História da Astrologia, Hermenêutica e Reflexividade.

Software para Astrologia

O programa

Canopus Astrologia 2003 é um programa de computador voltado para a produção de trabalhos de Astrologia, tais como Mapas Natais, Trânsitos, Progressões, Revoluções e outros mais especializados.

Este software está sendo oferecido como brinde na compra do livro *O Poder dos Aniversários*, de Saffi Crawford e Geraldine Sullivan. Ele é de propriedade da Canopus LTDA, empresa que mantêm o *site* esotérico ESTRELA GUIA e possui inúmeros outros produtos. Para saber mais visite o *site* www.estrelaguia.com.br.

Curiosidades

Canopus, a Alfa da constelação Carina, é a segunda estrela mais brilhante do hemisfério sul. É também denominada Estrela Guia. Está situada no conjunto de constelações que formam o mitológico navio ARGUS, a nau dos argonautas. O ARGUS é constituído pelas constelações da Quilha (Carina), Popa e Vela. Canopus situa-se sobre a quilha do ARGUS, próximo à popa. Canopus, personagem mitológico, seria o piloto do ARGUS e teria aprendido navegação com Quiron, o centauro. Canopus é facilmente visível e identificável no céu do hemisfério sul.

Requisitos mínimos

Para poder utilizar o Canopus 2003 o usuário deverá ter acesso a um microcomputador do padrão PC, com processador Pentium II ou superior, ou AMD K6 ou superior, tendo espaço livre em disco rígido de, no mínimo, 30 Mb livres e 32 Mb de RAM, onde esteja instalado o ambiente operacional gráfico Windows 98 ou superior. Monitores SVGA asseguram os melhores resultados face à resolução superior.

É fundamental que o usuário esteja familiarizado com a operação do ambiente Windows no que tange ao uso do *mouse* e ao uso das janelas e da função de Ajuda (HTMLHELP) que caracterizam este ambiente operacional. Placas aceleradoras gráficas garantem melhor *performance* para o programa.

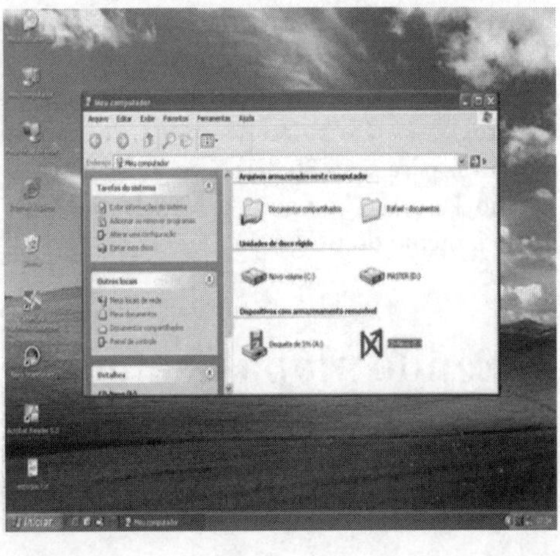

Neste CD você tem programas gratuitos e pagos. O *Astrologia Jr.* é gratuito. O *Astrologia Completo* você pode testar grátis por 30 dias. O programa *Agenda Esotérica Meu Astral* é pago. Se quiser mais informações clique em www.meuastral.com.br

Instalando o programa

Procedimentos para a instalação:

a) insira o CD-ROM no drive adequado do seu computador.

b) aguarde o programa NEXO.EXE rodar automaticamente ou vá para Meu Computador na área de trabalho e dê um duplo clique no ícone CD-Nexo, semelhante à ilustração abaixo.

c) em seguida, selecione Astrologia 2003 e o programa SETUP.EXE copiará o programa para o seu computador e criará o grupo de programas no Windows.

d) leia com atenção os procedimentos passo a passo até completar a instalação do programa.

Licenciamento

Depois de realizada a instalação, o programa sempre rodará apresentando um quadro com uma imagem do livro e perguntando se você gostaria de rodá-lo como Júnior, (opção gratuita distribuída com o livro) ou como versão completa, a qual necessitará da aquisição (compra) de uma licença que poderá ser fornecida pelo telefone: (0 xx 21 3852-7401), pelo *e-mail:* vendas@estrelaguia.com.br ou pelo endereço: http://www.estrelaguia.com.br/canopus (é importante que você informe que conheceu o programa *Canopus Astrologia* por meio do livro *O Poder dos Aniversários*, de Saffi Crawford e Geraldine Sullivan), para então liberar o programa para uso definitivo.

ATENÇÃO: ESTES TELEFONES, E-MAILs E URLs SÃO APENAS PARA VENDA. PARA SUPORTE, VEJA A SEÇÃO "SUPORTE" ABAIXO NESTE MANUAL. Optando por rodar o programa completo, será apresentado outro quadro solicitando sua licença, caso você ainda não a possua, você ainda poderá rodar o programa completo como teste por 30 dias.

Se você adquirir sua licença e optar por rodar o programa completo, os dados da mesma deverão ser digitados conforme forem fornecidos, pois a licença é gerada a partir do nome do usuário.

Após informar o nome e a licença, pressione o botão Registrar e em seguida o botão Ok.

O botão Júnior é utilizado para que o usuário possa registrar o programa como uma versão Júnior, ou seja, uma versão que não permite que o usuário possa usufruir todas as opções existentes no programa, já o botão Renovar é utilizado para restaurar para mais 30 dias o período de teste.

Ao lado está a figura da janela referente ao licenciamento do programa.

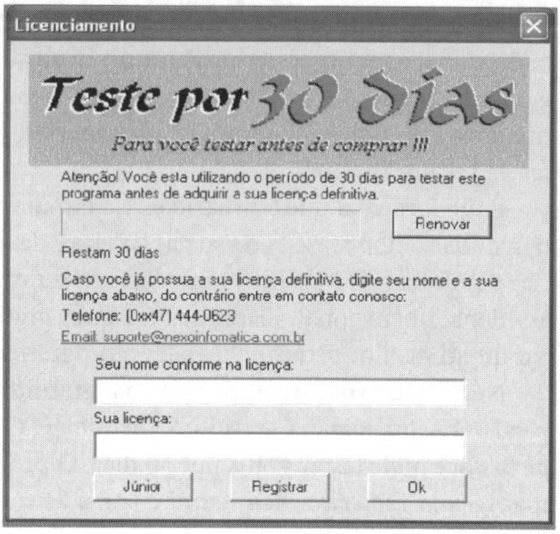

Fazendo Mapas Natais

Este programa Júnior permite que você faça seu Mapa Natal (gráfico) e uma interpretações básica acerca da influência do seu ascendente, planetas e a respeito do seu signo lunar.

Como fazer

Abra o programa na versão Júnior. Na tela que irá se abrir há um texto: Lista de selecionados. Abaixo dela, o primeiro ícone é "Dados do cliente". Clique nele para inserir os dados de quem você quer fazer o mapa. Ao terminar, clique em "OK". Em seguida, aparecerá seu Mapa Natal. Depois, clique na régua superior Ferramentas → Interpretação e você terá o seu mapa com as principais indicações astrais do seu nascimento.

Documentação

Se você estiver com dúvidas ou dificuldades em utilizar o *Canopus Astrologia 2003*, basta pressionar a tecla F1, que é a tecla de atalho para o arquivo de ajuda, e você encontrará desde dicas de como utilizar melhor o seu *software* até como preencher o formulário para entrada de dados dos usuários que posteriormente serão usados para gerar mapas. O usuário também poderá imprimir o arquivo de ajuda para utilizá-lo como um manual de instruções do programa.

Desinstalando o programa

Para desinstalar o *Canopus Astrologia 2003* de seu computador:
Clique no menu Iniciar | Programas | Nexo | Astrologia 2003 | Uninstall
que sua cópia será desinstalada corretamente.

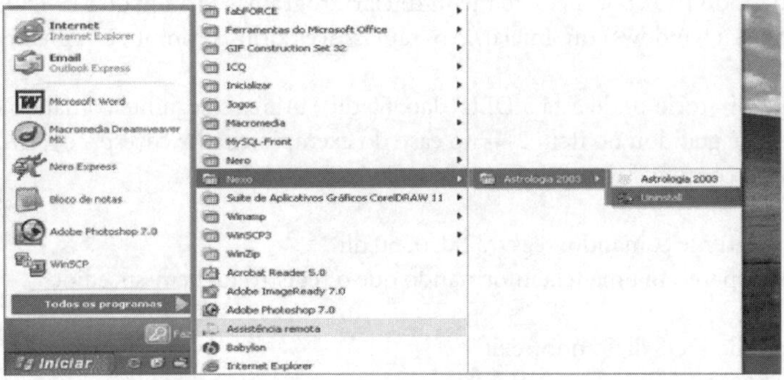

Suporte

Para obter suporte sobre a versão Júnior que acompanha este livro, utilize um dos meios abaixo:
Internet: http://www.nexoinformatica.com.br/suporte/canopus
E-mail: suporte@nexoinformatica.com.br
Telefone em horário comercial: (0xx47) 444-0623

ATENÇÃO: Este suporte é exclusivo para a versão Júnior que acompanha este livro.

Antes de acionar o suporte via telefone, visite a página de suporte indicada acima, pois nela você encontrará dicas e atualizações do programa.

Problemas Conhecidos

Erro ao tentar abrir o banco de dados dos clientes ou das cidades:

É importante ressaltar que para o programa ser executado corretamente é necessário que o seu computador já contenha o gerenciador de acesso à banco de dados DAO que é parte integrante da versão Windows 98 ou superior. Se você possui o Windows 95, certifique-se de que o DAO está instalado, caso contrário, instale-o na opção Complementos.

E se você estiver utilizando o Windows XP com o Service Pack 2, poderá ter de executar um comando para rodar este programa. Você deverá registrar uma DLL no windows que o Service Pack 2 não registra corretamente. Para isso, terá de localizar em seu computador o arquivo DAO360.DLL, que geralmente está no seguinte diretório:

C:\Arquivos de programas\Arquivos comuns\Microsoft Shared\DAO

Siga os passos abaixo:

1. para localizar o diretório correto da DLL no seu computador acione o menu iniciar|localizar (ou pesquisar)

2. procure no seu disco C: o arquivo dao360.dll
Ex: C:\Arquivos de programas\Arquivos comuns\Microsoft Shared\DAO

3. veja em qual diretório ele se encontra. Você precisará desta informação adiante:

4. entre no modo DOS por meio do menu Iniciar|Programas|Prompt do MS-DOS (win98 pode ser diferente no seu windows) ou Iniciar/Programas/Acessórios/Prompt de Comando

5. vá para o diretório onde está a DLL (dao360.dll), utilize o seguinte comando cd \(nome do diretório que você guardou no item 2) – no caso do exemplo citado: cd(espaço)\ Arquivos de programas\Arquivos comuns\Microsoft Shared\DAO

6. Digite o seguinte comando: regsvr32 dao360.dll
Em seguida, aparecerá uma tela informando que o registro foi bem-sucedido.

7. saia do modo DOS digitando: exit

O programa rodará normalmente.